英検®

頻出度別問題集

高橋書店

CONTENTS

編集協力 どりむ社
データ分析 岡野 秀夫
本文イラスト 山田 奈穂
音声制作 （一財）英語教育協議会（ELEC）
ユニバ合同会社

音声協力 Howard Colefield
Karen Haedrich
Julia Yermakov
Peter Gomm
水月 優希
小谷 直子

英検®3級受験にあたって

試験の出題レベル

　中学校卒業程度です。身近な英語を理解し、使用できることが求められます。

審査領域

読む…身近なことに関する文章を理解することができる。
聞く…身近なことに関する内容を理解することができる。
話す…身近なことについてやりとりすることができる。
書く…身近なことについて書くことができる。

試験概要

　従来型試験は一次試験（筆記試験 ＋ リスニングテスト）と二次試験（面接形式のスピーキングテスト）があります。一次試験の結果は、ウェブサイト上とはがきで通知され、一次試験合格者は、一次試験の約１か月後に二次試験を行います。コンピューターで受験する「S-CBT」は、１日で試験が完結します。

試験の時期

　５月下旬～７月上旬、９月下旬～11月中旬、翌年１月中旬～３月上旬の年３回実施されます。

試験の申し込み期間と申し込み場所

　大体、試験の２か月半前から１か月前の間に申し込めます。個人で受験する場合、一部の書店・コンビニエンスストア、インターネットで申し込めます。

受験地

　協会の指定した場所で試験を受けます。

一次試験の免除

　一次試験に合格し、二次試験に不合格、もしくは何らかの理由で棄権した場合、１年間は一次試験が免除されます。ただし、二次試験を受ける際には出願手続きをとらなければなりません。

試験についての問い合わせ先

公益財団法人 日本英語検定協会
〒162-8055　東京都新宿区横寺町55
TEL 03-3266-8311（英検サービスセンター）　**URL https://www.eiken.or.jp/**

※試験についての関連事項は変わることがあります。

一次試験

試験の問題数は筆記32問とリスニング30問の計62問です。試験時間はそれぞれ65分、約27分となっています。

● 筆記試験　32問(65分)	問題数	本書の該当章
① 短文の語句空所補充 短文、または会話文の空所に入る語句を四つの選択肢から選ぶ。	15	第1章
② 会話文の文空所補充 会話の中に空欄があり、そこに入れる表現を四つの選択肢から選ぶ。	5	第2章
③ 長文の内容一致選択 長文の質問に対して、最も適切な解答を四つの選択肢から選ぶ。長文は「掲示・案内」「Eメール」「手紙文」「説明文」などから出題される。	10	第3章
④ ライティングテスト Eメールでの返信文を15～25語の英文で書く。 与えられた質問に対して、25～35語の英作文を書く。	2	第4章
● リスニングテスト　30問(約27分)		
① 会話の応答文選択 イラストを参考にしながら対話を聞いて、その最後の文に応答する文を、三つの選択肢から選ぶ（選択肢は問題用紙には印刷されない、英文は1回のみ読まれる）。	10	第5章
② 会話の内容一致選択 対話を聞いて、その質問に対する答えを、四つの選択肢から選ぶ（英文は2回読まれる）。	10	第5章
③ 文の内容一致選択 文を聞いて、その質問に対する答えを、四つの選択肢から選ぶ（英文は2回読まれる）。	10	第5章

二次試験（面接形式のスピーキングテスト）

- 形式…1対1の個人面接
- 面接時間…約5分
- 試験の流れ…簡単な挨拶 → 30語程度の文章とイラストのある問題カードを約20秒間黙読 → 文章の音読 → 文章およびイラストに関する質問に答える → 受験者自身のことに関する質問に答える

本書の特長

❶ 頻出度別にパートを分け、よく出る問題から始められる

ここ数年間に出題された３級の問題を細かく分析し、頻出度Ａ・Ｂの２パートに分類して構成しています。

頻出度A：必ず押さえる！　最頻出問題

頻出度B：合否の分かれ目！　重要問題

なお第３章 長文問題と第４章 ライティングテストは重要度で表示しています。

❷ 試験に出た単語・熟語リストが見られる

本書の第１章と専用サイトに載せたリストをおさえれば、過去10年間に「語句空所補充」によく出た単語・熟語をカバーできます。

※リストはこちら

https://www.takahashishoten.co.jp/book/43063wordidiom/

❸ 模擬試験で予行演習ができる

本書の総まとめとして、模擬試験を収録しています。直前対策や力だめしとして活用できます。

❹ 音声をパソコン・スマートフォンで聞ける

以下の手順を参考に、学習環境に合わせてご利用ください。

- 下記の専用サイトにアクセス、もしくは二次元コードを読み取り、お使いの書籍を選択してください
  https://www.takahashishoten.co.jp/audio-dl/43193.html
- パスワード入力欄にシリアルコード（43193）を入力してください
- 全音声をダウンロードするをクリック
  ※ストリーミングでも再生できます

※本サービスは予告なく終了することがあります。

※パソコン・スマートフォンの操作に関する質問にはお答えできません。

第1章

短文の語句空所補充

3rd Grade

短文の語句空所補充

空欄を補って英文や対話文を完成させる問題です。
15問出題されます。そしてこの15問はおよそ次の3種類がランダムに出題されます。
❶ 語彙に関する問題　❷ 熟語に関する問題　❸ 文法に関する問題
割合を見ると語彙、熟語に対して、文法の問題が少なめです。

Point 1

単語の問題は「語の結びつき」に注目

例えば「(　　) を読む」という文を完成させるには、空欄にはどんな語が入りますか? そうです。「本」「手紙」「新聞」などの語が入りますね。「テレビ」「バナナ」などの語を入れても意味が通じません。

英語も同じです。しぜんに結びつく語とそうでない語があります。単語の問題を解くときは語と語の結びつきに注目しましょう。

例題

(1) **A**：Have you ever (　　) Mt. Fuji?
B：No, I haven't.

1 climbed　**2** driven
3 invited　**4** boiled

(2) **A**：Could you speak in a (　　) voice, please? I can't hear you.
B：Sure.

1 tall　**2** long
3 loud　**4** cheap

(1) の訳は「富士山に (　　した) ことがありますか?」です。選択肢を見ると順に「登った」「運転した」「招待した」「煮た」という意味の語が並んでいます。この中で「富士山に〜」にしぜんにつながるのは**1**のclimbed (登った) なので、**1**が正解です。

(2) の訳は「(　　い) 声で話していただけますか?」です。選択肢はそれぞれ「背の高い」「長い」「大きい」「安い」という意味で、「声」に一番しぜんに結びつくのは**3**のloud (大きい) となります。

Point 2
熟語は「似たもの同士」をまとめて覚えよう

熟語の問題を解くには「いかに多くの熟語を知っているか」がカギとなります。熟語を覚える際には、「似たもの同士」をまとめて覚えると効率的です。例えば「take」を含む熟語には次のようなものがあります。

take a bath「風呂に入る」 take a walk「散歩する」
take care of ～「～の世話をする」 take off「離陸する、脱ぐ」
take part in ～「～に参加する」

また「in」で始まる熟語には次のようなものがあります。

in fact「実際、じつは」 in those days「当時」 in time「間に合って」

こうした仲間同士をまとめて覚えると記憶にも定着しやすくなります。

Point 3
文法は中学3年生で習う範囲を復習しよう

文法では、おもに中学3年生で学習する次のようなものが多く出題されています。

❶「後ろから説明する」表現…関係代名詞、名詞＋過去分詞、名詞＋-ing形

例題 Who's that girl ( ) tennis with Kate?

1 play **2** plays **3** played **4** playing

訳 ケイトとテニスをしているあの女の子は誰ですか？ 【答】4

❷不定詞を用いた表現…「tell/ask/want＋人＋to ～」「It is … to ～」など

例題 I want you ( ) up earlier.

1 have got **2** to get **3** get **4** gets

訳 あなたにもっと早く起きてほしいんです。 【答】2

例題 It's very convenient ( ) a cell phone.

1 have **2** to have **3** has **4** had

訳 携帯電話を持つことはとても便利だ。 【答】2

❸過去分詞を用いた表現…現在完了、受け身など

例題 Have you ever ( ) a kangaroo?

1 see **2** seeing **3** saw **4** seen

訳 カンガルーを見たことがありますか？ 【答】4

いずれも単語の変化形の中で正しい形を選ぶ形式になっています。
本書でもこれらの問題を用意してあるので練習して、自信を持って答えられるようにしておきましょう。

短文の語句空所補充

次の（　　）に入れるのに最も適切なものを **1**、**2**、**3**、**4** の中から一つ選びなさい。

(1) **A**：I went to London last summer.
B：Really? Did you have a（　　）to visit the British Museum?

1 taste　**2** chance　**3** souvenir　**4** history

(2) Our school is on the other side of the river. We（　　）the river in a boat every day.

1 raise　**2** put　**3** cross　**4** break

(3) Kelly bought a new book, but she does not have（　　）time to read it.

1 enough　**2** still　**3** full　**4** all

(4) **A**：I don't know much about rugby. How do you play it?
B：OK. First, I'll（　　）the rules to you.

1 explain　**2** wash　**3** move　**4** count

(5) Tomorrow is my mother's birthday. I'm going to give（　　）a bag.

1 she　**2** her　**3** herself　**4** hers

解答・解説

(1) 訳 **A**：去年の夏、ロンドンに行きました。
B：本当に？　大英博物館を訪れる機会はありましたか？

ANSWER 2

解説 **1** taste「味」**2** chance「機会」**3** souvenir「おみやげ」**4** history「歴史」。a chance to ～で「～する機会」。【例】a chance to talk with Jack「ジャックと話す機会」。

(2) 訳 私たちの学校は川の反対側にある。私たちは毎日、船で川を渡る。

ANSWER 3

解説 **1** raise「上げる、育てる」**2** put「置く」**3** cross「横切る」**4** break「壊す、割る」。the other sideは「反対側」。「船で川を」にうまくつながる語を選ぶ。【例】cross a street「道路を渡る」、cross a bridge「橋を渡る」。

(3) 訳 ケリーは新しい本を買ったけれど、それを読む時間がない。

ANSWER 1

解説 **1** enough「十分な」**2** still「それでもまだ」**3** full「いっぱいの」**4** all「すべての」。enough ... to ～で「～するのに十分な…」。ここでは、enough time to readで「読むのに十分な時間」。

(4) 訳 **A**：ラグビーのことをあまり知りません。どうやってプレイするのですか？
B：わかりました。まず、あなたにルールを説明しましょう。

ANSWER 1

解説 **1** explain「～を説明する」**2** wash「～を洗う」**3** move「動かす」**4** count「数える」。ラグビーのことをあまり知らないという相手に話している。「まず、あなたにルールを説明しましょう」にうまくつながる動詞を選ぶ。

(5) 訳 明日は私の母の誕生日だ。彼女にはバッグをあげるつもりだ。

ANSWER 2

解説 **1** she「彼女は」**2** her「彼女の、彼女に」**3** herself「彼女自身」**4** hers「彼女のもの」。「give＋（誰に）＋（何を）」という組み立てになる。「彼女にバッグをあげる」なら、give her a bagとなるので、**2** herが適切。

(6) ☐ A : I can't make a speech in front of all the students.
B : Don't be ( ). You can do it.
1 free 2 first
3 shy 4 wild

(7) ☐ A : Why is the street so busy today?
B : There was a traffic ( ).
1 package 2 festival
3 matter 4 accident

(8) ☐ A : Let's take a break now.
B : All right. We'll ( ) the meeting in the afternoon.
1 carry 2 perform
3 continue 4 graduate

(9) ☐ A : Do you know how to make this cake? It's really good!
B : Yes, I do. I'll tell you the ( ) tomorrow.
1 area 2 plan
3 habit 4 recipe

(10) ☐ A : I'm really nervous.
B : Just ( ). You can do it. Don't worry.
1 happen 2 relax
3 cover 4 hold

(11) ☐ A : You look happy, Michael.
B : Yes. I ( ) a birthday card from Janet.
1 appeared 2 delivered
3 received 4 noticed

(6) 訳 **A：生徒みんなの前でスピーチをすることはできません。**
B：はずかしがらないで。君ならできるよ。

ANSWER **3**

解説 **1** free「自由な」**2** first「最初の」**3** shy「内気な」**4** wild「乱暴な」。make a speechは「スピーチをする」という意味。give a speechとも言う。「みんなの前でスピーチはできない」と言っているのに対する言葉として適切なものを選ぶ。Don't be ～はbe動詞を用いた文の否定命令。

(7) 訳 **A：どうして今日は道路がこんなに混んでいるの？**
B：交通事故があったんだ。

解説 **1** package「包み」**2** festival「祭り」**3** matter「事柄」**4** accident「事故」。traffic accidentで「交通事故」の意味。busyは本来「忙しい」という意味だが、道路について言うときは、「混んでいる」の意味になる。

(8) 訳 **A：休憩をとりましょう。**
B：いいですよ。午後に会議を続けましょう。

解説 **1** carry「運ぶ」**2** perform「演じる」**3** continue「続ける」**4** graduate「卒業する」。take a breakで「休憩をとる」という意味。「午後に会議を」という語句とともに用いているので、選択肢で最も自然につながる語は**3**。

(9) 訳 **A：このケーキの作り方を知ってるかい？　本当においしいよ！**
B：うん。明日レシピを教えてあげるよ。

ANSWER **4**

解説 **1** area「区域」**2** plan「計画」**3** habit「習慣」**4** recipe「レシピ」。how to ～は「どうやって～するか」という意味。ここでは「どうやってそのケーキを作るか」ということをたずねている。

(10) 訳 **A：私、すごく緊張しているの。**
B：落ち着いて。君ならできる。心配しないで。

解説 **1** happen「起こる」**2** relax「落ち着く」**3** cover「覆う」**4** hold「保持する」。緊張している相手を励ましている場面。nervousは「緊張している」。

(11) 訳 **A：うれしそうね、マイケル。**
B：うん。ジャネットから誕生日カードをもらったんだ。

解説 それぞれ **1** appear「現れる」**2** deliver「配達する」**3** receive「受け取る」**4** notice「気がつく」の過去形。「ジャネットから誕生日カードを～した」という流れに当てはまる語を選ぶ。

(12) ☐ **A**: It's (　　) a beautiful day. Why don't you play tennis with me?
B: OK, let's go to the park together.

1 many　　**2** all
3 any　　**4** such

(13) ☐ Tom's children are very (　　). They read many books and sometimes ask him difficult questions.

1 clever　　**2** crowded
3 correct　　**4** cheap

(14) ☐ **A**: Did you find (　　) interesting at the bookstore?
B: Yes, I did. I found a new cooking magazine.

1 someday　　**2** anytime
3 someone　　**4** anything

(15) ☐ **A**: Did Mary study (　　) when she was a student?
B: Yes, she went to school in Australia.

1 useful　　**2** behind
3 abroad　　**4** possible

(16) ☐ **A**: This coffee tastes really good.
B: Thanks. Would you like (　　) cup?

1 another　　**2** several
3 quite　　**4** toward

(17) ☐ **A**: Did you see this movie?
B: Yes, but I didn't like it. It was really (　　).

1 delicious　　**2** natural
3 enjoyable　　**4** boring

(12) 訳 **A**：とてもよい天気ね。私とテニスしない？
B：いいよ、一緒に公園に行こう。

解説 **1** many「多い」 **2** all「すべての」 **3** any「どんな～でも」 **4** such「とても、そのような」。suchは冠詞a/anの前に置くことができる。**【例】** It's such a hot day.「とても暑い日だ」。allはtheの前に置いて使う。**【例】** all the students「すべての生徒」。

(13) 訳 トムの子どもたちはとても賢い。彼らはたくさんの本を読み、ときに難しい質問をする。

ANSWER 1

解説 **1** clever「賢い」 **2** crowded「混雑した」 **3** correct「正しい」 **4** cheap「安い」。ほかにintelligent「知性のある」、wise「賢明な」、smart「利口な」といった類義語も一緒におさえよう。

(14) 訳 **A**：本屋さんで何かおもしろいものを見つけたの？
B：うん。新しい料理の雑誌を見つけたよ。

解説 **1** someday「いつか」 **2** anytime「いつでも」 **3** someone「誰か」 **4** anything「何か」。１文目では本屋さんで見つけたものについてたずねており、２文目で「新しい料理の雑誌を見つけた」と答えているので、**4** anythingが適切。

(15) 訳 **A**：メアリーは学生の時、海外で勉強したのですか？
B：はい、彼女はオーストラリアの学校に行きました。

解説 **1** useful「役に立つ」 **2** behind「後ろに」 **3** abroad「海外で」 **4** possible「可能な」。オーストラリアの学校に行ったと言っているので、正解は**3**。study abroad「海外で勉強する」。**【類】** go abroad「海外に行く」。

(16) 訳 **A**：このコーヒーはとてもおいしいですね。
B：ありがとうございます。もう１杯いかがですか？

解説 **1** another「もう一つの」 **2** several「いくつかの」 **3** quite「かなり」 **4** toward「～の方へ」。tasteは「味がする」という動詞。taste goodで「よい味がする」。Would you like ～は「～はいかがですか」と相手に勧める表現。

(17) 訳 **A**：この映画を見ましたか？
B：うん。でも気に入らなかったよ。本当に退屈だった。

解説 **1** delicious「おいしい」 **2** natural「自然の」 **3** enjoyable「楽しい」 **4** boring「退屈な」。選択肢の中で映画が気に入らなかった理由として当てはまるものを選ぶ。**【例】** This book is boring.「この本は退屈だ」。

(18) ☐
A：Mom, is it okay if I go to a concert tomorrow?
B：Sure, but make sure you come back before it gets too (　　) outside.
1 dark　　**2** busy
3 old　　**4** safe

(19) ☐
A：Who is your table tennis (　　)?
B：Mr. Mizutani is. He is a very good player, and we learn a lot from him.
1 actor　　**2** cousin
3 mayor　　**4** coach

(20) ☐
A：Don't forget to take out the garbage, Sam.
B：Don't worry. I have (　　) done that.
1 already　　**2** beside
3 abroad　　**4** always

(21) ☐
A：Excuse me. Where is the cafeteria?
B：It's on the fifth floor. You can take the (　　) over there.
1 horizon　　**2** schedule
3 elevator　　**4** floor

(22) ☐
Mai went to Hokkaido by plane. She was excited to see clouds (　　) the window.
1 soon　　**2** in
3 forever　　**4** below

(23) ☐
A：What did you do last Saturday?
B：I went to the (　　). I love watching fish.
1 ceiling　　**2** aquarium
3 crossing　　**4** stadium

(18) 訳 **A：ママ、明日、コンサートに行ってもいい？**
B：いいわよ、でも外が暗くなる前に帰ってきてね。

ANSWER 1

解説 **1** dark「暗い」**2** busy「忙しい」**3** old「古い」**4** safe「安全な（無事な）」。make sure は「必ず～するように手配する、確認する」という表現。外がどうなる前に帰ってくると言っているのかを考える。

(19) 訳 **A：あなたたちの卓球のコーチは誰ですか？**
B：ミズタニ先生です。とても上手な選手で、私たちは彼から多くのことを学びます。

解説 **1** actor「俳優、役者」**2** cousin「いとこ」**3** mayor「市長」**4** coach「コーチ」。「卓球の」につながり、good playerにも当てはまる語は**4**。a lot「たくさん」。ここでは、learn a lot「多くを学ぶ」という意味で使われている。

(20) 訳 **A：ゴミを出すのを忘れないでね、サム。**
B：心配しないで。もうすませたよ。

解説 **1** already「すでに」**2** beside「～のそばに」**3** abroad「海外へ」**4** always「いつも」。alreadyは現在完了の文の中で「もう、すでに」という意味を表す。ここでは「ゴミ出しを忘れないで」と言われたのに対して「もう（すでに）すませた」と答えている。

(21) 訳 **A：すみません。食堂はどこですか？**
B：5階にあります。あそこのエレベーターで行けますよ。

解説 **1** horizon「水平線、地平線」**2** schedule「予定、スケジュール」**3** elevator「エレベーター」**4** floor「床、階」。the fifth floor「5階」に行くために乗るものなので正解は**3**。over thereは離れた所を指して「向こうの、向こうに」という表現。

(22) 訳 **マイは北海道に飛行機で行った。窓の下のほうに雲を見て、彼女はわくわくした。**

解説 **1** soon「すぐ」**2** in「～の中に」**3** forever「ずっと」**4** below「（～の）下方に」。雲と飛行機の窓の位置関係を考える。空の雲が窓より下にあってわくわくしたということなので、**4** belowが最も適切。belowの反対語は、above「（～の）上方に」。

(23) 訳 **A：先週の土曜日は何をしていたの？**
B：水族館へ行ったよ。魚を見るのが大好きなんだ。

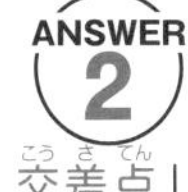

解説 **1** ceiling「天井」**2** aquarium「水族館」**3** crossing「横断、交差点」**4** stadium「競技場」。魚を見るのが好きと言っているので**2**が適切。

頻出度 A **短文の語句空所補充**

(24) I searched all over for my lost key, and (　　) found it under my bed.

1 tightly　　**2** finally
3 lonely　　**4** rainy

(25) **A**: Oh, you have new glasses. You look great. They (　　) you perfectly.
B: Thanks. I like them, too.

1 fit　　**2** shine
3 push　　**4** hurt

(26) I don't (　　) so much time playing video games because I prefer to read books.

1 buy　　**2** catch
3 spend　　**4** bring

(27) **A**: Look. Meg is very angry. What (　　)?
B: Jason broke her new cup.

1 turned　　**2** reached
3 prepared　　**4** happened

(28) **A**: How about going to a movie this weekend?
B: Good idea. Let's (　　) at the station at two o'clock.

1 meet　　**2** order
3 introduce　　**4** invite

(29) **A**: When (　　) your piano lesson start?
B: At six, Mom.

1 are　　**2** is
3 do　　**4** does

(24) 訳 **失くしたかぎをくまなく探し、ついにベッドの下で見つけた。**

ANSWER 2

解説 **1** tightly「きつく」**2** finally「ついに、やっと、最後に」**3** lonely「孤独な」**4** rainy「雨の」。all overで「いたるところ、くまなく」という意味。かぎをくまなく探し、ベッドの下で見つけたということから考える。**2** finallyが適切。

(25) 訳 **A：おや、新しいメガネですね。すてきですよ。あなたにぴったりです。**
B：ありがとう。私も気に入ってるんです。

解説 **1** fit「合う」**2** shine「輝く」**3** push「押す」**4** hurt「傷つける」。glasses「メガネ」。perfectly「完璧に」。「メガネがあなたに完璧に……」という流れに合っている語を選ぶ。

(26) 訳 **私は本を読むことのほうが好きなので、テレビゲームには、そんなに時間を使わない。**

解説 **1** buy「～を買う」**2** catch「～をつかまえる」**3** spend「費やす」**4** bring「～を持ってくる」。prefer to read booksで、「本を読むことのほうが好き」という意味。4つの選択肢の中でtime「時間を」に最も自然につながるのは **3** spend。spendはお金や時間を使うこと。

(27) 訳 **A：見て。メグがとっても怒ってる。何があったの？**
B：ジェイソンが彼女の新しいカップを割ったんだ。

解説 それぞれ **1** turn「向きを変える」**2** reach「届く」**3** prepare「準備する」**4** happen「起きる」の過去形。What happened?で「何があったのですか？」とたずねる表現。brokeはbreak「壊す」の過去形。

(28) 訳 **A：今度の週末に映画に行くのはどう？**
B：いいね。駅で2時に会おう。

解説 **1** meet「会う」**2** order「注文する、命令する」**3** introduce「紹介する」**4** invite「招く、招待する」。「駅で2時に」にうまくつながるものを選ぶ。How about ～ing?は「～するのはどうですか？」と誘う表現。Good ideaは「いい考えですね」と同意する表現。

(29) 訳 **A：ピアノのレッスンはいつ始まるの？**
B：6時よ、お母さん。

ANSWER 4

解説 **A**の疑問文はWhen＋do (does)＋何が＋どうする、の順に並べる。この文の主語はyour piano lesson「あなたのピアノのレッスン」という単数のものなので、**4** doesを用いる。

(30) A：Have you bought a birthday present for Lisa?
B：No, not yet. I don't know (　　) to give her.
1 where　**2** why
3 how　**4** what

(31) The mayor decided to (　　) a new station this year because the citizens need it.
1 taste　**2** imagine
3 invite　**4** build

(32) A：When (　　) the next show start?
B：At three o'clock.
1 is　**2** are
3 do　**4** does

(33) A：Do you know (　　) Fred was absent from the party yesterday?
B：Yes. He had to go to the hospital.
1 where　**2** who
3 why　**4** which

(34) A：You didn't come to the meeting yesterday. What happened?
B：Sorry. I was sick (　　) bed.
1 as　**2** in
3 during　**4** with

(35) The (　　) in this Italian restaurant is my brother. He makes very good pizza.
1 guide　**2** florist
3 chef　**4** hairdresser

(30) 訳 **A：リサの誕生日プレゼントは買った？**
B：いいえ、まだ。彼女に何をあげたらいいかわからないんだ。

ANSWER 4

解説 **1** where to ～「どこで～すべきか」**3** how to ～「どのように～すべきか」**4** what to ～「何を～すべきか」。なお、why to ～は基本的に用いられない。**B**の返答から、**B**は誕生日にリサにあげるものについて困っている、とわかる。「何をあげるべきか」となる**4** whatが最も適切。

(31) 訳 **市民が必要としているため、市長は新しい駅を今年建設すると決めた。**

ANSWER 4

解説 **1** taste「味がする」**2** imagine「想像する」**3** invite「招待する」**4** build「建てる」。a new station「新しい駅」につながる動詞なので，buildが最も適切。

(32) 訳 **A：次のショーはいつ始まるのですか？**
B：3時です。

ANSWER 4

解説「いつ～しますか？」という疑問文を作るには、When＋do (does)＋何が＋どうする の順序で組み立てる。**【例】** When does the English class start?「英語の授業はいつ始まりますか？」。問題ではthe next show「次のショー」という単数のものが主語なので、doesを使う。

(33) 訳 **A：どうして昨日フレッドがパーティーを欠席したか知っていますか？**
B：はい。彼は病院に行かなければなりませんでした。

解説 正しい疑問詞を選ぶ問題。**B**は返事の中でhospital「病院」に行ったと、欠席の理由を述べているので、**A**の質問としては理由を問う**3**が適切。be absent from ～「～を欠席する」。

(34) 訳 **A：昨日ミーティングに来ませんでしたね。何があったのですか？**
B：すみません。病気で寝ていたんです。

解説 **1** as「～として」**2** in「～の中で」**3** during「～の間に」**4** with「～と一緒に」。be sick in bedは、「病気で寝ている」という意味の英熟語。ミーティングに出られなかった理由を説明している。

(35) 訳 **このイタリアンレストランのシェフは、私の兄（弟）だ。彼はとてもおいしいピザを作る。**

ANSWER 3

解説 **1** guide「案内役」**2** florist「花屋」**3** chef「料理人」**4** hairdresser「美容師」。

(36) ☐ **A**：You have a comic book in your bag, (　　) you, Goro?
B：Yes, Mr. Tanaka. I'm sorry.

1 aren't　　**2** don't
3 won't　　**4** didn't

(37) ☐ **A**：Yesterday was your sister's birthday, wasn't it? Did you give her a present?
B：Yes. I bought her a (　　) of shoes.

1 pair　　**2** piece
3 slice　　**4** few

(38) ☐ Yesterday, the mall was (　　) of people because there was a big event there.

1 afraid　　**2** because
3 front　　**4** full

(39) ☐ **A**：Where do you (　　) off the train?
B：At the next station.

1 put　　**2** stay
3 get　　**4** take

(40) ☐ **A**：Will I be able to pass the exam tomorrow?
B：Don't (　　) so much. You have studied very hard for it, right?

1 contact　　**2** worry
3 turn　　**4** stay

(41) ☐ **A**：Do you know Natsume Soseki?
B：Yes. He is the man (　　) wrote "I Am a Cat", right?

1 who　　**2** whose
3 who's　　**4** whom

(36) 訳 **A：ゴロウ、君はかばんにマンガ本を持っているね？**
B：はい、タナカ先生。すみません。

ANSWER 2

解説 肯定文の最後につけたdon't you? などで「～でしょう？」という意味。この疑問文の形はもとの文に合わせて変わる。例えば、You are ～ならaren't you? 、You played ～と過去の文ならdidn't you? となる。**【例】** You can play tennis, can't you?「あなたはテニスができるよね？」

(37) 訳 **A：昨日は姉（妹）の誕生日だったのでしょう？　プレゼントはあげたの？**
B：うん。靴を1足買ってあげたよ。

解説 a pair of ～で「1対の～」という意味。**【例】** a pair of socks「靴下1足」、three pairs of shoes「3足の靴」。**2** a piece of ～「一切れの～」**3** a slice of ～「1枚の～」**4** a few「いくつかの」。

(38) 訳 **昨日、そのショッピングモールは大きなイベントがあったので、人でいっぱいだった。**

解説 be full of ～で「～でいっぱい」という意味。**1** be afraid of ～「～を恐れている」**2** because of ～「～のために」**3** in front of ～「～の前に」。

(39) 訳 **A：どこで電車を降りますか？**
B：次の駅です。

解説 get off は電車やバスなどを「降りる」という意味。↔ get on「～に乗る」。**1** put off「～を延期する」**2** stay off「～から離れている」**4** take off「離陸する」。

(40) 訳 **A：明日の試験に合格できるかなぁ？**
B：そんなに心配しないで。それに向けて一生懸命勉強してきたでしょ？

解説 **1** contact「連絡する」**2** worry「心配する」**3** turn「回る」**4** stay「とどまる」。worryを受け身で使った、I'm worried about ～「～を心配している」もよく使われる。

(41) 訳 **A：夏目漱石を知ってる？**
B：はい。『吾輩は猫である』を書いた人ですよね？

解説 who ～は直前の語を説明する。who wrote "I Am a Cat" がすぐ前のmanを説明して「『吾輩は猫である』を書いた人」という意味を表している。whichも同様の使い方をするが、whoは「人」、whichは「物事」を説明する。

(42) Bob is (　　) in Japanese food. He often goes to a Japanese restaurant.

1 expected　　2 worried
3 interested　　4 busy

(43) A : Do you think you will win the game tomorrow?
B : I don't know, but I'll (　　) my best.

1 see　　2 know
3 get　　4 do

(44) My mother broke her (　　). She didn't take us to the restaurant on Sunday. She said she was busy.

1 price　　2 promise
3 problem　　4 plant

(45) A : Can you help me with my homework?
B : Sure. (　　) of all, you have to clean up your desk.

1 First　　2 Quick
3 More　　4 Small

(46) A : Can you tell me (　　) to send e-mails?
B : Sure. Then we can talk to each other on the net.

1 how　　2 not
3 talk　　4 want

(47) Maki went shopping last weekend, and bought a new pencil case. It is much (　　) than the old one.

1 big　　2 bigger
3 small　　4 smallest

(42) 訳 ボブは日本の食べ物に興味がある。よく日本食レストランに行く。 ANSWER 3

解説 be interested in ～で「～に興味がある」という意味。interestedの仲間の語にinterestingがあるが、こちらは「興味深い、おもしろい」という意味の形容詞。**1** expect「期待する、予期する」の過去分詞 **2** worry「心配させる」の過去分詞 **4** busy「忙しい」。

(43) 訳 **A**：明日の試合、勝つと思う？
B：わからない。でもベストを尽くすよ。

解説 do one's bestで「ベストを尽くす」。one'sの部分は主語に合わせて変える。**【例】** Taro did his best.「タロウはベストを尽くした」。

(44) 訳 母は約束を破った。日曜日に私たちをレストランに連れていかなかった。母は忙しいと言っていた。

解説 **1** price「価格」**2** promise「約束」**3** problem「問題」**4** plant「植物」。break one's promiseで「約束を破る」という意味。↔ keep one's promise「約束を守る」。

(45) 訳 **A**：宿題を手伝ってくれますか？
B：いいですよ。まずは、机を片づけなくてはだめです。

解説 **1** first「最初の」**2** quick「はやい」**3** more「～より多く」**4** small「小さい」。First of allで「まず、はじめに」という意味。**【例】** First of all, let's wash the dishes.「まず、皿を洗いましょう」。

(46) 訳 **A**：メールの送り方を教えてくれる？
B：いいよ。そうすればお互いにネット上で話ができるね。 ANSWER 1

解説 how to ～で「～の仕方」という意味。～には動詞の原形が入る。**【例】** how to play soccer「サッカーの仕方」。how toの代わりにwhat to ～と言えば「何を～するのか」という意味になる。

(47) 訳 マキはこの前の週末、買い物に行き、新しい筆入れを買った。それは前のよりもずっと大きい。 ANSWER 2

解説 形容詞の語尾にerをつけて、ほかの何かと比べて「…より～」という意味を表す。**【例】** A is smaller than B.で「AはBより小さい」。選択肢にはbiggerとあるので、古い方の筆入れと比べて、「より大きい」という意味を表す。

(48) I'm (　　) of doing the same thing every day. I want to try something new and exciting!

1 amazing　　2 brave
3 lucky　　4 tired

(49) A lot of people stood in line to (　　) hands with the singer.

1 cross　　2 exchange
3 collect　　4 shake

(50) **A**: What did you have for breakfast?
B: I just ate a (　　) of bread, and drank some orange juice.

1 slice　　2 pair
3 cup　　4 glass

(51) **A**: Excuse me. I'm looking for a convenience store.
B: There's one at the (　　) of this street.

1 course　　2 price
3 host　　4 end

(52) **A**: Could you (　　) me the salt, please?
B: Sure. Here you are.

1 pass　　2 try
3 graduate　　4 feel

(53) **A**: This is my lunch. A hamburger and some French fries.
B: I think you (　　) eat more vegetables.

1 do　　2 did
3 should　　4 would

(48) 訳 毎日同じことの繰り返しでうんざりだ。新しくてわくわくすることにチャレンジしてみたい！

ANSWER **4**

解説 **1** amazing「すばらしい」**2** brave「勇ましい」**3** lucky「幸運な」**4** tired「疲れた、飽きた」。2文目で、新しいこと、わくわくすることがしたいと言っていることから、1文目の毎日同じことをすることについて、マイナスの感情を持っていることがわかる。tiredは、ここでは飽きてしまったという意味。

(49) 訳 多くの人がその歌手と握手するために列に並んだ。

解説 **1** cross「横切る」**2** exchange「交換する」**3** collect「集める」**4** shake「振る」。shake hands with ～で「～と握手する」という意味。stand in line「列に並ぶ」。stoodはstandの過去形。

(50) 訳 **A**：朝食に何を食べましたか？
B：パンを一切れ食べて、オレンジジュースを少し飲んだだけです。

解説 a slice of ～で「一切れの～、1枚の～」という意味。**【例】** a slice of pie「一切れのパイ」。**2** a pair of ～「1対の～」**3** a cup of ～「カップ1杯の～」**4** a glass of ～「グラス1杯の～」。

(51) 訳 **A**：すみません。コンビニを探しているのですが。
B：この道の突き当たりにありますよ。

解説 **1** course「進路」**2** price「値段」**3** host「主人」**4** end「終わり」。at the end of ～で「～の終わりに」という意味。**【例】** at the end of this year「今年の終わりに」。ここでは、at the end of this streetと言っているので、「この道の突き当たりに」という意味。

(52) 訳 **A**：塩を取っていただけますか？
B：いいですよ。はいどうぞ。

解説 **1** pass「手渡す」**2** try「試す」**3** graduate「卒業する」**4** feel「感じる」。pass me ～で「～を取ってください」という意味。passにはほかに「合格する、通り過ぎる」などの意味もある。

(53) 訳 **A**：これが私の昼食です。ハンバーガーとフライドポテト。
B：君はもっと野菜を食べるべきだと思うよ。

解説 should ～は「～すべきだ、～した方がいい」という意味。助動詞（can、mustなどの仲間）なので動詞の原形と一緒に使う。**【例】** We should read more books.「私たちはもっと本を読むべきだ」。

(54) ☐ My racket is a little different (　　) this one. This part is a little longer.

1 by　　**2** in
3 of　　**4** from

(55) ☐ We cannot live (　　) water.

1 since　　**2** yet
3 without　　**4** instead

(56) ☐ **A**: Mary is really good at playing the piano.
B: Right. (　　) fact, she wants to be a pianist in the future.

1 After　　**2** Between
3 For　　**4** In

(57) ☐ **A**: Look. The ground is (　　) with snow.
B: Yes. Let's make a snowman!

1 covered　　**2** broken
3 decided　　**4** fallen

(58) ☐ Emily's house is far from the school, so her mother gives her a (　　) every morning.

1 contest　　**2** flight
3 ride　　**4** promise

(59) ☐ The man (　　) away as soon as he saw the police officer.

1 ran　　**2** far
3 right　　**4** washed

(54) 訳 私のラケットは、これとは少し違う。この部分が少し長い。 **ANSWER 4**

解説 be different from ～で「～と違う」という意味。【例】My bag is different from yours.「私のバッグはあなたのとは違います」。a little「少し」。

(55) 訳 私たちは、水なしでは生きていけない。 **ANSWER 3**

解説 **1** since「～以来」**2** yet「まだ」**3** without「～なしに」**4** instead「代わりに」。without～で「～を持たずに、～なしに、～のない、～がなくて」という意味。【例】read a book without a dictionary「辞書なしで本を読む」。

(56) 訳 **A**：メアリーは本当にピアノ演奏が上手ですね。 **ANSWER 4**

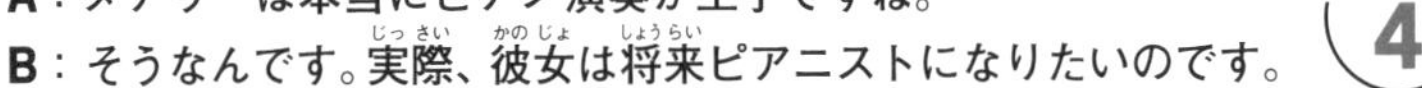
B：そうなんです。実際、彼女は将来ピアニストになりたいのです。

解説 **1** After「～の後に」**2** Between「～の間に」**3** For「～のために」**4** In「～の中で(に)」。In factは、「実際(は)」という意味の英熟語。すぐ前の文を補足して何かを述べるときなどに使う。

(57) 訳 **A**：見て。地面が雪で覆われている。

ANSWER 1

B：本当だ。雪だるまを作ろう！

解説 それぞれ**1** cover「～を覆う」**2** break「こわす」**3** decide「決める」**4** fall「落ちる」の過去分詞。be covered with snowで「雪で覆われている」という意味。**B**が「雪だるまを作ろう」と誘っていることから、雪が積もっていることがわかる。

(58) 訳 エミリーの家は学校から離れているので、お母さんが毎朝車で送っている。

ANSWER 3

解説 **1** contest「競技」**2** flight「飛行」**3** ride「乗ること」**4** promise「約束」。give＋人＋a rideで「人を乗せていく、車で送る」という意味。【例】Please give me a ride.「私を乗せていってください」。

(59) 訳 その男の人は警官を見るとすぐに走って逃げた。 **ANSWER 1**

解説 run awayで「走って逃げる」という意味。ranはrunの過去形。as soon as～「～するとすぐ」、police officer「警官」。**2** far away「遠くに」**3** right away「直ちに」**4** wash away「洗い流す」の過去形。

(60) ☐ Maki (　　) up in New York. She came to Japan two years ago.

1 got　　**2** stood
3 looked　　**4** grew

(61) ☐ **A**: Are you (　　) for Sunday's game, Mike?
B: Yes. We practiced really hard for it.

1 ready　　**2** sorry
3 easy　　**4** impressed

(62) ☐ Sandra couldn't pass the science exam. She played video games all day long yesterday, and she didn't study for the exam (　　) all.

1 at　　**2** for
3 on　　**4** by

(63) ☐ Ryota is going to visit his grandmother in Hokkaido this summer. He is looking (　　) to it.

1 down　　**2** back
3 forward　　**4** away

(64) ☐ **A**: How long have you (　　) Kevin?
B: For more than 10 years.

1 know　　**2** knew
3 known　　**4** to know

(65) ☐ My brother went to Tokyo last month. He stayed there for a (　　) days.

1 many　　**2** few
3 long　　**4** little

(60) 訳 マキはニューヨークで育った。彼女は2年前、日本に来た。

ANSWER 4

解説 grew upはgrow up「育つ」の過去形。**1** got upはget up「起きる」、**2** stood upはstand up「立ち上がる」、**3** looked upはlook up「見上げる」のそれぞれ過去形。

(61) 訳 A：マイク、日曜日の試合の準備はできているの？
B：うん。そのために本当にがんばって練習したんだ。

ANSWER 1

解説 **1** ready「準備ができた」**2** sorry「気の毒に思う」**3** easy「簡単な」**4** impressed「感動して」。be ready forで「～の準備ができた」という意味。マイクは一生懸命練習したと言っているので、しっかり準備ができているという意味で答えていると推測できる。

(62) 訳 サンドラは、理科の試験に合格できなかった。昨日一日中ゲームをしていて、試験に向けてまったく勉強しなかったのだ。

ANSWER 1

解説 not ～ at all で「まったく～ない」という強い否定を表す。**【例】** I'm not sleepy at all.「私はまったく眠たくない」。

(63) 訳 リョウタはこの夏、北海道の祖母を訪ねる。彼はそれを楽しみにしている。

ANSWER 3

解説 look forward to ～で「～を楽しみにする」という意味。**【例】** I am looking forward to the party.「私はそのパーティーを楽しみにしている」。**1** look down「見下ろす」**2** look back「振り返る」**4** look away「目をそらす」。

(64) 訳 A：ケビンと知り合ってからどれくらいになるの？
B：10年を超えています。

ANSWER 3

解説 have＋過去分詞で「ずっと～している」という意味がある。have known Kevinで「ケビンのことを（ずっと）知っている」。for more than 10 years「10年より長い間」で期間を表している。**【例】** Al has lived in Chicago for 10 years.「アルは10年間シカゴに住んでいる」。

(65) 訳 私の兄(弟)は先月、東京に行った。彼は数日の間、そこに滞在した。

ANSWER 2

解説 **1** many「多くの」**2** few「ほとんどない」**3** long「長い」**4** little「小さい」。a few ～、a little ～で「少しの～」という意味になる。a fewには可算名詞が続き、a littleには不可算名詞が続く。ここでは可算名詞のdaysが続いているので、**2** fewが最も適切。

(66) Maria came to our class this spring. At ( ), she was quiet, but now she is very cheerful.

1 first　**2** least
3 once　**4** last

(67) Yesterday, Jennifer told her children a story about a rabbit. It made ( ) happy.

1 they　**2** their
3 them　**4** theirs

(68) **A**: What did you do yesterday afternoon?
B: I enjoyed ( ) tennis with my sister.

1 play　**2** played
3 playing　**4** to play

(69) There was an English speech contest at school last Wednesday. The first prize was ( ) to Bob.

1 give　**2** gave
3 given　**4** giving

(70) Meg has worked at a nursing home as a volunteer for three years. Her parents are very proud ( ) her.

1 with　**2** of
3 on　**4** because

(66) 訳 マリアはこの春、私たちのクラスに来た。最初はおとなしかったけれど、今はとても明るい。

ANSWER 1

解説 **1** first「最初の」 **2** least「最小」 **3** once「一度、かつて」 **4** last「最後」。at firstで「最初は」という意味。後ろに「しかし」を伴うことが多い。また、at least「少なくとも」、at onceは「すぐに」、at lastは「ついに、とうとう」という意味。

(67) 訳 昨日、ジェニファーは子どもたちにウサギの話をした。それが彼らを幸せにした。

解説 **1** they「彼らが」 **2** their「彼らの」 **3** them「彼らを」 **4** theirs「彼らのもの」。動詞makeは「作る」という意味のほかに「AをBにする」という意味を持つ。ここでは「彼ら（子どもたち）を幸せにする」という意味で使われている。

(68) 訳 **A**：昨日の午後は何をしたの？
B：姉とテニスを楽しみました。

解説 enjoy ～ingで「～することを楽しむ」という表現。同様の表現にfinish ～ing「～し終える」、stop ～ing「～するのをやめる」などがある。いずれも動名詞（-ing形）を使った「～することを…」という表現。**【例】** enjoy listening to good music「美しい音楽を聞くことを楽しむ」。

(69) 訳 先週の水曜日に学校で英語のスピーチコンテストがあった。最優秀賞はボブに与えられた。

ANSWER 3

解説 **1** give「与える」 **2** gave「与えた」 **3** given「与えられた」 **4** giving「与えている」。受動態の文を作る問題。be動詞＋過去分詞で受け身の文を作ることができる。be given to ～で「～に与えられた」という意味。

(70) 訳 メグはボランティアとして３年間介護施設で働いている。両親は彼女を誇りに思っている。

解説 be proud of ～で「～を誇りに思う」という意味。**【例】** I'm proud of you.「私はあなたのことを誇りに思っている」。

短文の語句空所補充

次の（　　）に入れるのに最も適切なものを **1**、**2**、**3**、**4** の中から一つ選びなさい。

(1) ☐

A：You can drink (　　) coffee or orange juice. Which would you like?

B：I would like coffee, please.

1 both　　**2** either
3 every　　**4** else

(2) ☐

A：Excuse me. Is there a supermarket near here?

B：Yes. There's one near the park. Just walk (　　) along this street.

1 later　　**2** against
3 straight　　**4** suddenly

(3) ☐

A：Shall we go to the museum by bike?

B：No, Jacob. The museum is (　　) away. Let's go by train.

1 fast　　**2** around
3 far　　**4** near

(4) ☐

A：May I try on this sweater?

B：Sure. The (　　) room is right over there.

1 putting　　**2** shopping
3 cooking　　**4** fitting

(5) ☐

A：Do you think your brother can read this book?

B：It's a (　　) difficult, but he'll try.

1 many　　**2** more
3 small　　**4** little

(1) 訳 A：コーヒーかオレンジジュースのどちらかを飲むことができます。どちらがいいですか？
B：コーヒーをいただきます。

解説 **1** both「どちらも」**2** either「どちらかの」**3** every「すべての」**4** else「そのほかの」。either A or Bで「AとBどちらか」という意味。**【例】** Either Jack or I will help you with your homework.「ジャックか私のどちらかがあなたの宿題を手伝います」。

(2) 訳 A：すみません。この近くにスーパーはありますか？
B：はい。公園の近くにあります。この道に沿ってまっすぐ歩けばいいですよ。

解説 **1** later「後で」**2** against「～に反対して」**3** straight「まっすぐに」**4** suddenly「突然」。「この道に沿って」という文に当てはまるものを選ぶ。supermarket「スーパーマーケット」。along this streetは「この道に沿って」という表現。

(3) 訳 A：博物館には自転車で行こうか？
B：だめだよ、ジェイコブ。博物館は遠いところにあるんだ。電車で行こう。

解説 **1** fast「速い」**2** around「周りに」**3** far「遠い」**4** near「近くに」。この選択肢の中でawayにつながるのはfarのみ。far awayで「遠く離れた」という意味になる。

(4) 訳 A：このセーターを試着してもいいですか？
B：もちろんです。試着室はすぐそこです。

解説 それぞれ**1** put「置く」**2** shop「買い物をする」**3** cook「料理する」**4** fit「合う、合わせる」の動名詞（-ing形）。ここでは服のサイズを合わせるための部屋なのでfittingを選ぶ。fitting roomで「試着室」という意味になる。

(5) 訳 A：君の兄（弟）はこの本を読めると思う？
B：少し難しいけれど、彼は挑戦するだろうね。

解説 **1** many「多くの」**2** more「～より多い」**3** small「小さい」**4** little「少し」。a little＋形容詞で「少し～だ」という意味。程度が低い場合に用いられる表現。**【例】** I'm a little tired.「私は少し疲れている」。

(6) My brother has lost his favorite wallet, but he went to school today ( ) usual.

1 ever **2** as
3 by **4** on

(7) **A**：Why was Mr. Black ( ) this morning?
B：Because most of his students forgot to do their homework.

1 well **2** merry
3 angry **4** free

(8) The ( ) between French and Japanese culture that he felt while he was in France last summer gave him an idea for a new business.

1 messages **2** tournaments
3 reasons **4** differences

(9) **A**：Take off your shirt, Jim. I need to wash it. It's so ( ).
B：All right, Mom.

1 cheap **2** fat
3 strong **4** dirty

(10) **A**：Bill, could you give me a ( )? I need to carry these computers to the classroom.
B：Sure.

1 foot **2** hand
3 mouth **4** head

(11) **A**：Look at that new music player. It's so cool!
B：Yeah, but it's too ( ) for me.

1 many **2** expensive
3 far **4** total

(6) 訳 私の兄（弟）はお気に入りの財布を失くしたが、今日、いつものように学校へ行った。

ANSWER 2

解説 **1** ever「これまでに」**2** as「～と同様に」**3** by「～によって」**4** on「～の上に」。as usualで「いつものように」という意味。【例】This morning, Takeshi got up late as usual.「今朝、タケシはいつものように遅く起きた」。

(7) 訳 **A**：どうしてブラック先生は今朝怒っていたの？
B：ほとんどの生徒が宿題をやるのを忘れてきたからだ。

ANSWER 3

解説 **1** well「健康で、上手に」**2** merry「陽気な」**3** angry「怒っている」**4** free「自由な」。ほとんどの生徒が宿題を忘れてきたことに対するブラック先生の気持ちとして、最も適切なものを選ぶ。

(8) 訳 去年の夏フランスにいたときに感じた、フランスと日本の文化の違いは、彼に新しいビジネスのアイディアを与えた。

解説 それぞれ **1** message「伝言」**2** tournament「トーナメント」**3** reason「理由」**4** difference「違い」の複数形。between A and Bで、「AとBの間の」という意味。ここではフランスと日本の文化の違いということ。

(9) 訳 **A**：シャツを脱ぎなさい、ジム。洗わなくてはいけないわ。とても汚いもの。
B：わかったよ、お母さん。

解説 **1** cheap「安い」**2** fat「太っている」**3** strong「強い」**4** dirty「汚い」。シャツを洗う必要があるという流れから、「それ（シャツ）はとても～だ」という文を完成させる。dirty ↔ clean「きれいな」。take off「脱ぐ」。

(10) 訳 **A**：ビル、私を手伝ってくれないかしら？　これらのコンピューターを教室まで運ばないといけないの。
B：もちろん。

解説 **1** foot「足」**2** hand「手」**3** mouth「口」**4** head「頭」。日本語の「手を貸す」と似た表現が英語にもある。give＋人＋a handもしくはgive a hand to＋人 で「人を手伝う」という意味になる。

(11) 訳 **A**：あの新しい音楽プレーヤーを見て。すごくいいね！
B：うん、でも私には値段が高すぎる。

解説 **1** many「多くの」**2** expensive「値段が高い」**3** far「遠い」**4** total「合計の」。expensive ↔ cheap「安い」。音楽プレーヤーについて「私には～すぎる」と言っているので、**2**が最も適切。

(12) ☐ **A**：Welcome to New York! How was your (　　)?
B：It was fine. I was sleeping most of the time.
1 flight　**2** fight
3 ticket　**4** interest

(13) ☐ **A**：Excuse me. Do you have birthday cards in your store?
B：Yes. They are on the third (　　).
1 horizon　**2** floor
3 door　**4** project

(14) ☐ **A**：Excuse me. Where is the bathroom?
B：It's on the second floor. (　　) me. I'll show you the way.
1 Move　**2** Serve
3 Follow　**4** Pick

(15) ☐ **A**：Hello. This is Tony. May I speak to Jack?
B：Hi, Tony. Jack is in the kitchen. I'll call him, so please (　　) on.
1 decide　**2** pull
3 hold　**4** make

(16) ☐ **A**：Sally called you while you were out. She left a (　　).
B：Thanks.
1 talk　**2** heart
3 message　**4** post

(17) ☐ **A**：May I take your (　　) now?
B：Yes. I'd like this seafood sandwich, please.
1 knife　**2** order
3 sale　**4** scarf

(12) 訳 **A**：ニューヨークへようこそ。飛行機の旅はどうだった？
B：上々だった。ほとんどの時間、寝てたんだ。

ANSWER **1**

解説 **1** flight「飛行」 **2** fight「けんか」 **3** ticket「切符」 **4** interest「興味」。How was your flight?「飛行機の旅はどうでしたか？」は空港で出迎える際の決まり文句。

(13) 訳 **A**：すみません。こちらのお店に誕生日カードはありますか？
B：はい。3階にあります。

解説 **1** horizon「地平線」 **2** floor「階」 **3** door「ドア」 **4** project「企画、計画」。階を言うときは、the first (second, third) floorで（建物の）「1階（2階、3階）」という表現を使う。

(14) 訳 **A**：すみません。トイレはどこですか？
B：2階にあります。ついてきてください。ご案内します。

解説 **1** move「動く、動かす」 **2** serve「（食べ物などを）出す」 **3** follow「～に従う、ついて行く」 **4** pick「つつく、選ぶ」。ここではトイレの場所を聞かれて案内するので、**3**が最も適切。bathroom「浴室、トイレ」、the second floor「2階」。

(15) 訳 **A**：こんにちは。こちらはトニーです。ジャックをお願いしたいのですが。
B：こんにちは、トニー。ジャックは今、キッチンにいるの。呼んでくるので、待っていてね。

解説 hold onで「（電話を切らずに）待つ」という意味。電話での重要表現なので、覚えておこう。また、電話で名乗るときはThis is ～「こちらは～です」と言う。

(16) 訳 **A**：サリーがあなたの外出中に電話をかけてきて、伝言を残しましたよ。
B：ありがとう。

解説 **1** talk「話」 **2** heart「心」 **3** message「伝言」 **4** post「郵便」。leave a messageで「伝言を残す」という表現。ほかにtake a message「伝言を受ける」もある。どちらも電話の対話でよく使われる。

(17) 訳 **A**：ご注文はお決まりですか？
B：はい。このシーフードサンドイッチをお願いします。

解説 **1** knife「ナイフ」 **2** order「注文」 **3** sale「安売り」 **4** scarf「スカーフ、マフラー」。take (your) orderで「注文を受ける」という意味。May I take your order (now)?「ご注文はお決まりですか？」はレストランのウエーターなどが客に使う決まり文句。受け答えに、May I have some orange juice?「オレンジジュースをいただけますか？」などの言い方がある。

(18) A famous musician visited our school yesterday. He (　　) a speech in front of all the students.

1 drew　　2 passed
3 made　　4 saved

(19) I saw Mr. Green on my (　　) to school this morning. He was cleaning the street.

1 end　　2 view
3 place　　4 way

(20) **A**: Look at this street! It's (　　) with people!
B: They all came to see the festival.

1 contacted　　2 filled
3 moved　　4 turned

(21) Good morning, class. Today, we have a guest teacher. Mr. Lee, could you (　　) yourself to the students?

1 live　　2 repeat
3 solve　　4 introduce

(22) **A**: I'm sorry I broke the glass.
B: It's OK. But don't (　　) the same mistake again.

1 give　　2 take
3 make　　4 miss

(23) **A**: Look! It's a shooting star!
B: The sky is beautiful tonight. Let's (　　) off the light and watch the stars.

1 close　　2 turn
3 get　　4 show

(18) 訳 **昨日、有名な音楽家が私たちの学校に来た。彼は生徒たち全員の前でスピーチをした。**

解説 それぞれ **1** draw「描く」**2** pass「合格する、通り過ぎる」**3** make「作る」**4** save「救う、節約する」の過去形。make a speechで「スピーチをする」という意味。in front of ～「～の前で」。

(19) 訳 **私は今朝、学校に行く途中でグリーン先生を見かけた。彼は道路を掃除していた。**

解説 **1** end「終わり」**2** view「景色」**3** place「場所」**4** way「道」。on (my) way to ～で「(私が) ～へ行く途中」という意味。(my) の部分は主語によって変わる。**【例】** Yuka saw Mr. Green on her way to school.「ユカは学校へ行く途中でグリーン先生を見かけた」。

(20) 訳 **A：通りを見て！　人でいっぱいだよ！**
B：きっと、お祭りを見に来てるんだよ。

解説 **1** contact「連絡する」**2** fill「満たす」**3** move「動く」**4** turn「回す」の過去分詞。be filled with ～で「～に満たされた、いっぱいの」という意味。

(21) 訳 **みなさん、おはようございます。今日はゲストの先生がいらっしゃっています。リー先生、生徒たちに自己紹介をしていただけますか？**

解説 **1** live「住む」**2** repeat「繰り返し言う」**3** solve「～を解決する」**4** introduce「～を紹介する」。introduce oneselfで「自己紹介をする」。授業の出だしの場面。先生が生徒たちにゲストの先生を紹介しようとしている。

(22) 訳 **A：ガラスを割ってしまい、すみません。**
B：大丈夫だ。しかし、再び同じミスをしないように。

解説 **1** give「与える」**2** take「～を取る」**3** make「～を作る」**4** miss「寂しく思う」。4つの動詞の中で、この状況でmistakeにうまくつながる語を選ぶ。make a mistakeで「失敗する」という表現。

(23) 訳 **A：見て！　流れ星！**
B：今夜は空がきれいだね。電気を消して、星を観察しよう。

ANSWER 2

解説 turn off ～で「(電気など) を消す」という意味。**【例】** Please turn off the TV.「テレビを消してください」。⟷ turn on「スイッチを入れる」。**1** close off「締め切る」**3** get off「(車から) 降りる」**4** show off「見せびらかす」。

試験に出る！ 単語を軸にした熟語のまとめ

■ get

Tom and Bob **get along** well **with** each other.	トムとボブは互いによく気が合う。
Let's **get away** from here.	ここから逃げよう。
I'll call Meg when she **gets back** from the trip.	メグが旅行から戻ったら電話するよ。
Taro **got married** to Hanako.	タロウはハナコと結婚した。
We will **get on** that blue train.	あの青い電車に乗るよ。
I will **get over** these difficulties.	この困難を乗り越えてみせる。
Let's **get together** this weekend.	今週末に集まろう。

■ have

I **had a chance** to visit London.	ロンドンを訪れる機会があった。
I **had a** bad **dream** last night.	昨夜、嫌な夢を見た。
I **had a good time** at the party.	パーティーで楽しく過ごした。
Do you **have a lot of snow** in Hokkaido?	北海道は雪が多いの？
I **have no time to** study English.	英語の勉強をする時間がない。

■ look

I will **look after** your children tomorrow.	明日は私があなたの子どもたちの世話をしましょう。
I'm **looking for** a yellow shirt.	黄色いシャツを探しています。
I'm **looking forward to** the trip.	その旅行を楽しみにしています。
I **looked into** the magazines.	私はその雑誌に目を通した。
Sayaka **looks like** her mother.	サヤカはお母さんに似ている。
Look up the word in the dictionary.	その単語を辞書で調べてごらん。

■ make

Cheese is **made from** milk.	チーズはミルクから作られる。
This desk is **made of** wood.	この机は木でできている。
Everyone **makes mistakes**.	誰だって間違いをする。
How are you going to **make money**?	どうやってお金を稼ぐつもりですか？
Please **make yourself at home**.	どうぞくつろいでください。
I **made up my mind** to get up early every day.	毎日早起きしよう、と決心した。

第2章

会話文の文空所補充

3rd Grade

会話文の文空所補充

空欄を補ってしぜんな流れの対話を完成させる問題で、5問出題されます。この問題はおもに次の二つの種類に分けられます。

❶「質問する → 答える」というパターンの対話
❷「働きかける → 応じる」というパターンの対話

❶のパターンでは次のような質問がよく出題されます。

- 予定を聞く
- 期間を聞く（How long ～?）
- したいことを聞く
- 経験を聞く（Have you ever ～?）
- 頻度を聞く（How often ～?）
- 具合・様子を聞く（How ～?）

Point 1

何を質問しているかをしっかりつかもう

「質問する → 答える」パターンの対話では、「何を質問しているか」をしっかりつかむ必要があります。そのためには次のような疑問詞の意味を確実につかんでおきましょう。特に「How（　）」はしっかり身につけてください。

What　「何」
Who　「誰」
When　「いつ」
Where　「どこに」
Why　「なぜ」
How　「どのように」
How long　「どれくらい長く（時間・距離）」
How much　「いくら」
How many　「いくつ」
How old　「何歳、どれくらい古い」
How often　「どれくらいしばしば」

Point 2

質問のウラにある意図をつかもう

次のような表現は、形は疑問文でも単純な質問ではありません。それぞれの質問のウラに話し手のどんな意図が隠れているかをつかんでおきましょう。

許可を求める：May I ～？ Can I ～？ 「～してもいいですか？」
誘う：How about ～？ Shall we ～？ 「～しませんか？」
申し出る：Shall I ～？ 「～しましょうか？」
頼む：Can you ～？ Could（Would）you ～？ 「～していただけますか？」

Point 3
状況に応じた決まり文句を覚えよう

「働きかける → 応じる」パターンの対話では、それぞれの状況でよく使われる決まり文句を覚えておくと便利です。

悪いニュースを聞いて → That's too bad.「それはよくないね」
いいニュースを聞いて → That's great!「すごいぞ！」
Congratulations!「おめでとう！」
相手が謝ったら → That's OK.「オーケーだよ」
That's all right.「大丈夫だよ」
相手がお礼を言ったら → You're welcome.「どういたしまして」
No problem.「どういたしまして」
相手が意見を言ったら → I agree.「そうだね」
I don't think so.「そうは思わないな」

例題 **Boy**：Thank you for showing me your notebook.
Girl：(　　)

1 That's too bad.　**2** Here you are.
3 No problem.　**4** Congratulations!

男の子は「ノートを見せてくれてありがとう」とお礼を言っています。お礼に対する応答として使えるのは**3**のNo problem.「どういたしまして」なので、これが正解になります。なお**1**は「それはいけませんね」、**2**は相手に何かを渡しながら「はいどうぞ」、**4**は「おめでとう！」という意味を表します。

Point 4
道案内の決まり文句を覚えよう

道案内の場面の対話もよく出題されます。次のような道案内の決まり文句を身につけておきましょう。

❶道のたずね方
Could you tell me the way to ～?「～に行く道を教えてもらえますか？」
Could you tell me how to get to ～?「～への行き方を教えてもらえますか？」
Do you know where ～ is?「～がどこにあるかご存じですか？」

❷所要時間のたずね方
How long does it take to get there?
「そこに行くにはどれくらい時間がかかりますか？」
How long does it take from here to the station?
「ここから駅までどれくらい時間がかかりますか？」

会話文の文空所補充

次の（　　）に入れるのに最も適切なものを **1**、**2**、**3**、**4** の中から一つ選びなさい。

(1)
Man：Have you ever been to Australia?
Woman：(　　) But it was more than 20 years ago.

1 Yes, just once.　**2** Yes, I've just finished.
3 No, I don't have any.　**4** No, thank you.

(2)
Woman：I took a trip to London this summer.
Man：That's great! How long did you stay there?
Woman：(　　)

1 Two weeks ago.　**2** For two weeks.
3 I stayed in a hotel.　**4** There were a lot of people.

(3)
Man：What do you want to do this weekend?
Woman：(　　) How about going to a movie?

1 I want a new CD.　**2** No, not yet.
3 This is for you.　**4** Something fun.

(4)
Mother：How are you feeling this morning, Andy?
Son：(　　) I think I can go to school today.

1 I have a bad cold.　**2** That's too bad.
3 Much better, thank you.　**4** I'm sorry to hear that.

(1) 訳 男性：オーストラリアに行ったことはありますか？
女性：はい、一度だけ。でももう20年以上も前のことです。

解説 **1** はい、一度だけ。**2** はい、ちょうど終わったところです。**3** いいえ、一つも持ってません。**4** いいえ、けっこうです。Have you ever ～?は「～したことがありますか？」と経験をたずねる質問。選択肢の中で経験を答えている**1**を選ぶ。onceは「１回」と回数を表す語。【類】twice「２回」、many times「何回も」。

(2) 訳 女性：この夏、ロンドンに旅行してきました。
男性：いいですね！　どのくらい滞在したのですか？
女性：２週間です。

解説 **1** ２週間前です。**2** ２週間です。**3** ホテルに泊まりました。**4** 大勢の人がいました。How long ～?は「どれくらい長く」と期間をたずねる表現。選択肢の中では**2**が「２週間」と期間を答えている。なおI took a trip to ～は「私は旅行で～に行ってきました」という表現。

(3) 訳 男性：今週末は何をしたい？
女性：何か楽しいこと。映画に行くのはどう？

解説 **1** 新しいＣＤがほしい。**2** いいえ、まだ。**3** これをあなたに。**4** 何か楽しいこと。want to ～「～したい」。ここではWhat do you want to do?で「何をしたいですか？」とたずねている。want to ～の～には動詞の原形が入る。正解は「何か楽しいこと（をしたい）」と言っている**4**。**1**では後の文にうまくつながらない。また**2**、**3**は男性の質問にうまく答えていない。

(4) 訳 母親：今朝の具合はどう、アンディ？
息子：おかげでずっとよくなったよ。今日は学校に行けると思う。

解説 **1** 悪いかぜをひいてます。**2** それはいけませんね。**3** おかげでずっとよくなったよ。**4** それを聞いてお気の毒に思います。How are you feeling?「具合はどうですか？」は具合や体調をたずねる表現。選択肢の中で体調を答えているのは**1**と**3**だが、息子はI can go to school today.「今日は学校に行ける」と言っているので、今は体調がよいと考えられる。

(5) ☐

Girl : I hear you belong to the soccer team.
Boy : You're right.
Girl : How often do you practice?
Boy : (　　)

1 Just last week.　**2** For three hours.
3 Next month.　**4** Almost every day.

(6) ☐

Mother : Have you cleaned your room yet, Charlie?
Son : (　　)
Mother : Stop playing the game, and start cleaning your room right away.

1 Yes, it's easy.　**2** I was in my room.
3 No, not yet.　**4** I have just been there.

(7) ☐

Boy : Oh, no. I forgot my pencil case. Can I borrow your pen?
Girl : (　　)

1 You can lend it to me.　**2** It was in your bag.
3 You're welcome.　**4** Sure. Here you go.

(8) ☐

Boy : Are you going to go to the concert this weekend?
Girl : (　　) I'm a big fan of the band.
Boy : Can I go with you?

1 Sorry, I don't like concerts.　**2** I was too busy.
3 Of course, I am.　**4** At seven o'clock.

(9) ☐

Man : We are going to have a karaoke party tomorrow evening. Can you come?
Woman : (　　)

1 I came here yesterday.　**2** I'd love to.
3 It was beautiful.　**4** Come in.

(5) 訳 **女の子**：サッカーチームに入っているんだって？
男の子：そうなんだ。
女の子：どのくらい練習するの？
男の子：ほとんど毎日だよ。

ANSWER 4

解説 **1** つい先週。**2** 3時間。**3** 来月。**4** ほとんど毎日。How often ～？は「どれほどしばしば」と頻度をたずねる表現。この質問には通常once a week「週に1回」、twice a week「週に2回」などと答える。**2**は時間の長さを答えているので、不適切。

(6) 訳 **母親**：部屋はもう掃除したの、チャーリー？
息子：いや、まだ。
母親：ゲームをするのをやめて、すぐ部屋の掃除を始めなさい。

ANSWER 3

解説 **1** はい、簡単です。**2** 自分の部屋にいました。**3** いいえ、まだです。**4** たった今、行ってきたところです。Have you ～ yet? は「もう～しましたか？」とたずねる表現。母は2番目のせりふで「すぐ掃除を始めなさい」と言っているので、息子はまだ掃除をしていないと考えられる。

(7) 訳 **男の子**：しまった。筆入れを忘れた。君のペンを借りてもいい？
女の子：もちろん。はい、どうぞ。

解説 **1** それを私に貸してもいいよ。**2** それはあなたのバッグに入ってたよ。**3** どういたしまして。**4** もちろん。はい、どうぞ。Can I ～？は「～してもいい？」と気軽に許可を求める表現。Here you go. は「はい、どうぞ」と相手に何かを渡しながら言う表現。

(8) 訳 **男の子**：今週末のコンサートには行くの？
女の子：もちろん行くわよ。このバンドの大ファンなんだから。
男の子：一緒に行ってもいいかな？

解説 **1** ごめん、コンサートは好きじゃないの。**2** 忙しすぎたの。**3** もちろん行くよ。**4** 7時にね。Are you going to ～？は「～するつもりですか？」と予定をたずねる表現。ここではYesの代わりに Of course「もちろん」と言っている。

(9) 訳 **男性**：明日の晩、カラオケパーティーをやるんだけど、来られる？
女性：喜んで。

解説 **1** 昨日ここに来ました。**2** 喜んで。**3** 美しかった。**4** 入って。Can you come? は「来られる？」と気軽に誘う表現。I'd love to. と言えば、「喜んで、ぜひ」という意味になる。断るときはI'd love to, but I'm too busy.「行きたいけど忙しすぎて」など、理由を言うことが多い。

(10) ☐
Man : How about going to a restaurant this evening?
Woman : (　　)
Man : I'll see you in front of the station at seven. OK?

1 It's near the station.　**2** Every evening.
3 It's a Chinese restaurant.　**4** Sounds good.

(11) ☐
Man : Do you have to wash all these dishes?
Woman : Yes. Can you help me?
Man : (　　)

1 Sure. No problem.　**2** Sure. Here you are.
3 Yes, please.　**4** No, thank you.

(12) ☐
Man : I think I have to go now.
Woman : OK. Have a nice weekend.
Man : (　　)

1 Yes, I did.　**2** That's too bad.
3 Really? Me, too.　**4** Thanks. You, too.

(13) ☐
Girl : You don't look so well. Are you OK?
Boy : I think I caught a cold.
Girl : (　　)

1 That's too bad.　**2** That's great!
3 I'm fine, thank you.　**4** I caught some fish.

(14) ☐
Man : I'm sorry I'm late. I overslept.
Woman : (　　)

1 You, too.　**2** Never mind.
3 You're welcome.　**4** I'll be happy to.

(10) 訳 **男性**：今晩、レストランに行こうか？
女性：いいわね。
男性：7時に駅前で会おう。いいかい？

ANSWER 4

解説 **1** 駅のそばです。**2** 毎晩。**3** 中華のレストランよ。**4** いいね。How about ～ ing? は「～しない？」と気軽に誘う表現。Sounds good. の soundは「～に聞こえる」という意味。つまり食事に行くことが「楽しそうに聞こえる」ということ。

(11) 訳 **男性**：これらの皿を全部洗わなくてはいけないの？
女性：そうなの。手伝ってくれる？
男性：いいとも。

ANSWER 1

解説 **1** もちろん。いいよ。**2** もちろん。はい、どうぞ。**3** はい、お願いします。**4** いいえ、けっこうです。Can you ～？ は「～してくれる？」と気軽に頼む表現。**3**と**4**は「～しましょうか」と何か申し出をされたときの答え方なので、**1**が正解。**2**は「はい、どうぞ」と相手に何か渡すときの言い方。

(12) 訳 **男性**：もう行かなくては。
女性：わかりました。すてきな週末を。
男性：ありがとう。君もね。

ANSWER 4

解説 **1** はい、しました。**2** それはいけないね。**3** 本当？　ぼくもだよ。**4** ありがとう。君もね。Have a nice ～ は「すてきな～を」という別れの挨拶。**【例】** Have a nice day.「すてきな一日を」。返答は、お礼を言ってYou, too.「あなたも」と付け加えればよい。

(13) 訳 **女の子**：あんまり元気じゃなさそうね。大丈夫？
男の子：かぜをひいちゃったみたい。
女の子：それはいけないわね。

ANSWER 1

解説 **1** それはいけないね。**2** それはすごい。**3** 元気です、ありがとう。**4** 魚を捕まえました。That's too bad. は悪い知らせを聞いたときのお見舞いの表現。よい知らせを聞いたときは**2** That's great!「それはすごい！」のように答える。ここでは男の子がかぜをひいたと言っているので**1**が適切。

(14) 訳 **男性**：遅れてごめん。寝坊しちゃって。
女性：いいのよ。

ANSWER 2

解説 **1** あなたもね。**2** 気にしないで。**3** どういたしまして。**4** 喜んで。相手の謝罪に対する応答としてはThat's all right.「いいよ」などもある。

頻出度 B

会話文の文空所補充

次の（　）に入れるのに最も適切なものを **1**、**2**、**3**、**4** の中から一つ選びなさい。

(1) **Man**：I took a trip to Nikko last weekend.
Woman：Great. How did you go there?
Man：(　　)

1 About four hours.
2 By train.
3 With my family.
4 It was beautiful.

(2) **Girl**：Thank you for the flowers. They are really beautiful.
Boy：(　　)

1 I'm sorry to hear that.
2 I'm glad you like them.
3 Here they are.
4 I don't believe this.

(3) **Man**：You look tired. I think you should go home early today.
Woman：(　　)

1 I went home by bus.
2 Take care of yourself.
3 Thanks. I will.
4 Yes, let's.

(4) **Man**：Excuse me. Could you tell me the way to the hospital?
Woman：I'm sorry. (　　)

1 You can't miss it.
2 It's right in front of you.
3 Turn right at the next corner.
4 I'm a stranger here myself.

(5) **Man**：Oh, no. It started to rain. Shall I drive you to the station?
Woman：(　　) The station is not far from here. I can walk.

1 I'll be glad to.
2 Yes, let's.
3 I'll take a taxi.
4 No, thank you.

(1) 訳 **男性：この前の週末、日光へ旅行したんです。**
女性：いいですねえ。どうやって行ったのですか？
男性：電車で。

ANSWER **2**

解説 **1** 約4時間。**2** 電車で。**3** 家族と一緒に。**4** 美しかった。How ～? は状態や手段をたずねる表現。日光に行った手段を聞いているので、By ～「～によって」が正解。

(2) 訳 **女の子：花をどうもありがとう。本当にきれい。**
男の子：気に入ってくれてうれしいよ。

解説 **1** それはお気の毒に。**2** 気に入ってくれてうれしいよ。**3** はいどうぞ。**4** 信じられない。お礼に対する返答で代表的なものにYou' re welcome.「どういたしまして」がある。相手に何かあげたときのお礼に対して、問題文のように言うこともできる。

(3) 訳 **男性：疲れているみたいだね。今日は早く帰った方がいいと思うよ。**
女性：ええ。そうします。

解説 **1** バスで帰宅しました。**2** おだいじに。**3** どうも。そうします。**4** はい、そうしましょう。You should ～は「～した方がいい」という表現。**2**のTake care of yourself. はこの場合、むしろ男性の方が言うべき言葉。

(4) 訳 **男性：すみません。病院への道を教えていただけますか？**
女性：ごめんなさい。私もこの辺りはよく知らないんです。

解説 **1** 見落とすことはないでしょう。**2** あなたのすぐ目の前です。**3** 次の角を右に曲がってください。**4** 私もこの辺りはよく知りません。Could you tell me the way to（場所）は道をたずねる基本表現。**1**～**3**はすべて道案内で活用できる表現。**1**は「わかりやすい所だからきっと迷わないだろう」という意味。女性のI'm sorry.から、答えは**4**と推測できる。

(5) 訳 **男性：まいったな。雨が降ってきた。駅まで車で送ろうか？**
女性：けっこうです。駅はここから遠くないから。歩いて行けます。

解説 **1** 喜んで。**2** はい、そうしましょう。**3** タクシーに乗ります。**4** いいえ、けっこうです。相手の申し出を受けるならYes, please.「はい、お願いします」、断るならNo, thank you.と言う。この場合、後に「歩いて行ける」とあるので、断っていることがわかる。なお、**1**は相手の頼みを快く引き受ける表現。

(6) **Boy** : How was your chorus contest?
Girl : Our class won the first prize.
Boy : (　　)

1 Congratulations!　**2** Sorry to hear that.
3 Not at all.　**4** I'll miss you.

(7) **Salesclerk** : May I help you?
Man : Yes. I'm looking for a blue tie.
Salesclerk : How about this one?
Man : Good. (　　)

1 Here's your change.　**2** I'll take it.
3 It's on the second floor.　**4** It's sold out.

(8) **Father** : How do you like your new school?
Daughter : (　　)
Father : I'm glad to hear that.

1 It's very nice.　**2** It's in Tokyo.
3 By bus.　**4** I walk to school.

(9) **Boy** : Let's go to a movie next Sunday. I hear "Spider Girl" is really exciting.
Girl : (　　) I have a lot of homework.

1 Yes, please.　**2** I'm afraid so.
3 I don't remember.　**4** Sorry. I can't.

(10) **Woman** : How long does it take from here to the station?
Man : (　　) Just walk along this street.

1 By taxi.　**2** You can take the train.
3 About 10 minutes.　**4** I have never been there.

(6) 訳 **男の子**：合唱コンクールはどうだった？
女の子：うちのクラスが１位を取ったよ。
男の子：おめでとう！

ANSWER 1

解説 **1** おめでとう！ **2** それはお気の毒に。**3** 全然、大したことないよ。**4** 寂しくなるな。Congratulations!「おめでとう！」はよい知らせを聞いたときの祝福の表現。選択肢**4**はもうすぐ別れなくてはならない相手に言う言葉。

(7) 訳 **店員**：いらっしゃいませ、何かご用は？
男性：はい。青いネクタイを探しているんです。
店員：これなどはいかがでしょう？
男性：いいですね。それをいただきます。

解説 **1** おつりをどうぞ。**2** それをいただきます。**3** それは２階にございます。**4** それは売り切れです。店での会話。May I help you?「何かご用は？」、How about this one?「これなどはいかがですか？」は店員の使う決まり文句。そこで客がI'll take it. と言えば「それをいただきます」の意味になる。

(8) 訳 **父親**：新しい学校はどうかな？
娘：とってもいいよ。
父親：それを聞いてうれしいよ。

ANSWER 1

解説 **1** とってもいいよ。**2** 東京にある。**3** バスで。**4** 歩いて学校に行きます。How do you like ～? は「～はどう？」と好き嫌いをたずねる表現。正解のほかに、I like it very much.「とても好きです」と答えることもできる。

(9) 訳 **男の子**：今度の日曜日に映画に行こう。『スパイダー・ガール』が本当におもしろいらしいよ。
女の子：ごめん。行けないの。宿題がたくさんあるんだ。

解説 **1** はい、お願いします。**2** 残念ながらそうみたい。**3** 覚えてないの。**4** ごめんなさい。できません。誘いを断る表現には、ほかにもI'd love to, but I can't.「そうしたいけど、できない」などがある。誘いに乗るときは、Sounds good.「それはいいね」、Let's go.「行きましょう」などと言う。

(10) 訳 **女性**：ここから駅までどれくらいかかりますか？
男性：10分くらいです。とにかくこの道沿いに歩いてください。

ANSWER 3

解説 **1** タクシーで。**2** 電車で行けますよ。**3** 10分くらいです。**4** 一度も行ったことがないんです。How long does it take to（場所）? は、その場所までの所要時間をたずねる表現。女性が所要時間をたずねているので、それに答えているものを選ぶ。

試験に出る! シチュエーション別・定番表現①

■ 買い物

May I help you?	何かご用は？
I'm just looking.	見ているだけです。
I'm looking for a skirt.	スカートを探しています。
How about this red one?	この赤いのはどうですか？
May I try it on?	試着できますか？
I'll take it.	それをいただきます。

■ 道案内

Could you tell me the way to the hospital?	病院までの道を教えていただけますか？
Turn right at the corner.	あの角を右に曲がってください。
You can't miss it.	間違いなくわかりますよ。
How long does it take to the station?	駅までどのくらいかかりますか？
I'm sorry. I'm a stranger here myself.	すみません。私もこの辺りはよく知らないもので。

■ 病院・お見舞い

How are you feeling this morning?	今朝の具合はどうですか？
Much better, thank you.	おかげさまでずっとよくなりました。
How is your cold?	かぜの具合はどう？
Not so good.	あんまりよくないんだ。
That's too bad.	それはいけないね。

■ 電話

Hello. This is Mike speaking.	もしもし、マイクですが。
Is Tom there? —This is he.	トムはいますか？ —はい、ぼくです。
May I speak to Mary? —Yes. Just a minute.	メアリーはいますか？ —はい。少々お待ちください。
Who's calling?	どちら様ですか？
When will she come back?	彼女はいつ戻りますか？
May I take a message?	ご用件をうかがいましょうか？
I'm afraid you have the wrong number.	お掛け間違いだと思います。

第3章

長文の内容一致選択

ちょうぶん ないよういっちせんたく

3rd Grade

対策ポイント

長文の内容一致選択

ある程度まとまりのある文章を読んで、後の質問に答える問題です。1回のテストで次の3種類の文章が出題されます。

❶ 掲示・案内など
❷ Eメール、手紙文など
❸ 説明文など

質問は3種類の文章の合計で10問出題されます。

Point 1
先に質問に目を通そう

長文の問題を解く際は、あわてて本文を読み始めるのではなく、その前に質問に一通り、目を通すようにしましょう。
先に質問に目を通すと、次のメリットがあります。

❶ どんな話なのか、見当をつけることができる。
❷ どんなところに注意して読めばよいのかがわかる。

例題

What did the doctor say about Steve?
この質問から次のことが読み取れます。
・スティーブという人の話だ。
・スティーブにはお医者さんにかかるようなことが何かあった。
そして本文を読むときは「医師がスティーブに何を言ったか」に注意して読む必要がある、ということもわかります。

Point 2
答えはキーワードのそばにある

質問を見たら、その質問の中にあるキーワードを本文中から探します。答えはたいていその近くにあります。

例題

Who can often enjoy the sun at the beach?

1 People who visit the towns near the beach.
2 People who live near the sea.
3 People who work in big cities.
4 People who travel by ship.

この質問のキーワード（フレーズ）は enjoy the sun や at the beach でしょう。そこでこれらの表現を本文から探します。

◆本文の例 ～ キーワードの周辺を抜き出したもの

If they live near the sea, they can often go to the beach. They can enjoy fishing and swimming. Also, they can just sit on the sand and enjoy the sun.

この部分の冒頭を見れば「海の近くに住んでいる人」について述べていることがわかります。したがって、答えは**2**となります。

Point 3

全体についての質問には文章全体を読んでから答える。ただし答えは初めの方の段落に書かれていることが多い

「これは何についての話ですか」や「何が問題になっていますか」という質問がよく出題されます。こうした問題には、文章全体に一通り目を通してから答える方が無難です。

ただし、答えは初めの方の段落に書かれていることが多い、と意識しましょう。

Point 4

Eメール・手紙文は独特のスタイルに慣れよう

Eメールや手紙文だからといって、特別に身構える必要はありません。宛先など出だしの見方を知っておけば、あとは普通の文章と同じです。

From: Tom Willis ………………………… 発信者
To: Yamada Taro ………………………… 宛先
Date: December 7 ……………………… 発信日
Subject: Movies ………………………… 件名

この部分を見れば、「誰が誰に」「いつ」送ったメールなのか「何について書かれているのか」がわかります。

掲示・案内の問題

次の掲示の内容に関して、後の質問に対する答えとして最も適切なもの、または文を完成させるのに最も適切なものを **1**、**2**、**3**、**4** の中から一つ選びなさい。

WALK To Support the Children

Saturday, November 6

What : This is a good chance for everyone to support the children who need help only by going for a walk! By paying only three dollars to take part in the WALK, you can help them go to school every day.

When : The WALK starts at 10:30 a.m.

Where : We walk 10km (6miles) from the City Hall, around Green Park, and back to the City Hall. There is also a short 2km course for children and senior citizens.

How : Interested? Just call (202) 000-0909 or visit our website.

To Support the Children (TSC) www.TSC.org

(1) Who can take part in the WALK?

1 School children.
2 Senior citizens.
3 The children who need help.
4 Anyone who wants to help the poor children.

(2) To take part in the WALK, people need to

1 pay three dollars.
2 go to school every day.
3 call the City Hall.
4 take a walk in the park every morning.

(1) 質問訳「ウオーク」に参加できるのは誰か。

ANSWER 4

解説 a good chance for everyone to support the children who need help「助けを必要とする子どもたちを支援するすべての人にとってよいチャンス」と言っている点などから判断する。

(2) 質問訳「ウオーク」に参加するには＿＿＿＿する必要がある。

解説 設問の文の続きとして最も正しいものを選ぶ問題。ここでは、この催しに参加するために何をする必要があるかをたずねている。Whatの項目を見ると、By paying only three dollars to take part in the WALK「ウオークに参加するために3ドルを払うだけで」という表現がある。この表現から、参加料として3ドルかかることがわかる。

訳

ウオーク 子どもたちを支援するために

11月6日(土)

何を：これは助けを必要とする子どもたちを、皆さんがウオーキングに行くだけで支援できるすてきなチャンスです。ウオークに参加するためにわずか3ドルを払うだけで、子どもたちが毎日学校に行くのを手助けできるのです。

いつ：ウオークは午前10時半に始まります。

どこで：市役所からグリーン公園を回って市役所に戻ってくる10キロ（6マイル）を歩きます。子どもやお年寄りのための短い2キロコースもあります。

どのように：興味を持ちましたか？ (202) 000-0909にお電話をくださるか、私たちのホームページをご覧ください。

子どもたちを支援する（TSC） www.TSC.org

覚えておきたい単語・熟語

1 support 支援する
2 go for a walk 散歩に行く
3 take part in ～ ～に参加する
4 mile マイル（距離の単位）
5 course コース
6 senior citizens お年寄り、年配者
7 interested 興味を持っている
8 website ウェブサイト（インターネットのホームページ）

Step Inside The Historic Harris House

for a warm welcome to the fascinating※ Boston.

- The 1870 home and garden of a local shopkeeper James Harris shows family life in Boston in the 19th century.
- The Study Library helps you discover neighborhood and family history with pictures, books and maps.
- The Museum Shop has books, gifts and souvenirs of Boston.

HOURS Tuesday-Sunday 10 a.m. - 4 p.m.
Closed on Mondays.

ADMISSION
Adults ········ $ 2.00
Children (6 to 12) and Senior Citizens ···· $ 1.00
Children under 6 ········ Free

LOCATION One block south of King's Chapel.
Metro: Red line to Park Street, Exit North.

For more information, call (617) 000-1234.

※fascinating : 魅惑的(みわくてき)な、うっとりさせる

(1) How old is Harris House?

1 It was built only recently.
2 Children under 6 years old.
3 Children and senior citizens.
4 More than 100 years old.

(2) What is in the Study Library?

1 It is in Harris House.
2 There are pictures, books and maps.
3 It helps your family and your neighbors.
4 They have to study history.

(1) 質問訳 ハリスハウスはどのくらい古いものか。

ANSWER 4

解説 The 1870 homeから、1870年、今から100年以上も前の建物であるとわかる。なお、「ハリスハウス」は架空のものである。**1**のrecentlyは「最近」を意味する。

(2) 質問訳 研究用図書館には何があるか。

ANSWER 2

解説 What is in ～? は、「～の中には何があるか?」という表現。ここではthe Study Libraryの中に何があるかをたずねている。「写真や本、地図などがある」という**2**が正解。**1**は「ハリスハウスの中にある」と、図書館がある場所を言っている。

訳

歴史的(建造物である)ハリスハウスに入ってみよう
魅力たっぷりのボストンが温かく歓迎します

- 地元の店の経営者ジェームス・ハリスの1870年の家と庭から19世紀のボストンの家庭生活を見ることができます。
- 研究用図書館では写真や本、地図などで地域や家族の歴史を知ることができます。
- 博物館のショップにはボストンの本やギフト、記念品などがあります。

開館時間 火～日 午前10時～午後4時
月曜日は閉館

入館料
大人 ・・・・・・・・・・・・・・・・・・・・・・・・・・ 2ドル
子ども(6歳から12歳)とお年寄り ・・・・・・ 1ドル
子ども(6歳より下) ・・・・・・・・・・・・・・・・・ 無料

所在地 キング礼拝堂の1ブロック南。
地下鉄レッドラインで公園通り駅へ。北口を出る。

詳細は (617) 000-1234 にお電話ください。

覚えておきたい単語・熟語

1 historic 歴史的に重要な
2 local 地域の、現地の
3 shopkeeper 店主、店の経営者
4 century 世紀
5 discover 発見する、知る
6 neighborhood 近所、地域
7 souvenir 記念品
8 admission 入場料、入場
9 adult 成人
10 exit 出口

Volunteers Needed!

If you like science and want to work with children, we need you!!
We are looking for volunteers for our Summer Science Day camp.

Date: August 4th – 8th 9 a.m. – 4 p.m.
Place: Sunflower Science Center

Our volunteer works include (but are not limited to):
- read books to children
- help children make toy cars and planes
- take the children to the forest
- write reports

Who can become a volunteer?
- Anyone 16 and over
- Must be able to push, pull or lift at least 10kg
- Must pass our interview test

If you are interested, please contact Emma Green at (633)321-4321 or e-mail EmmaG@sunflower.edu.

(1) How many days are the volunteers going to work?

1 For three days.
2 For five days.
3 For eight days.
4 For nine days.

(2) If people want to volunteer at the summer camp, they need to

1 call or send an e-mail to Emma.
2 visit the science center.
3 push or pull 10kg.
4 read books and write reports.

(1) 質問訳 ボランティアの人は、何日間働くことになるか。 ANSWER 2

解説 広告の中で、ボランティアの期間を表す記事を探すと、August 4th - 8th 9 a.m. - 4 p.m. と書かれているので、8月4日から8日までだとわかる。したがって正解は、「5日間」を表す**2**となる。

(2) 質問訳 このサマーキャンプでボランティアをしたい人は、_____する必要がある。 ANSWER 1

解説 最後の文に注目する。If you are interested「もし興味がありましたら」として、エマさんに電話することや、指定のアドレスにメールを送ることを示している。最も適切な答えは**1**。

訳

ボランティア求む！

科学に興味があり、子どもたちと働いてみたいなら、そんな人を私たちは必要としています!! 私たちの夏季科学デイ・キャンプのためのボランティアを探しています。

日時：8月4日～8日 午前9時～午後4時
場所：サンフラワー科学センター

ボランティアの仕事には次のようなものがあります(これだけではありません)
・子どもたちに本を読んであげる
・子どもたちがおもちゃの自動車や飛行機を作るのを手伝う
・子どもたちを森に連れて行く
・レポートを書く

誰がボランティアになれるのか？
・16歳以上なら誰でも
・少なくとも10kgのものを押したり、引いたり、持ち上げたりできること
・面接テストに合格すること

ご興味がありましたら、(633)321-4321エマ・グリーンまでお電話くださるか、EmmaG@sunflower.edu.へメールにてご連絡ください。

覚えておきたい単語・熟語

1 volunteer ボランティア	**6** limit 限定する
2 needed need (必要とする) の過去分詞	**7** lift 持ち上げる
3 look for ～ ～を探す	**8** at least 少なくとも
4 day camp デイ・キャンプ	**9** pass 合格する
5 include 含む	**10** interview 面接

Eメール・手紙文の問題

次のＥメールの内容に関して、後の質問に対する答えとして最も適切なもの、または文を完成させるのに最も適切なものを **1**、**2**、**3**、**4** の中から一つ選びなさい。

From: Miyu Kudo
To: Alex Smith
Date: July 4
Subject: Are you OK?

Hi, Alex. 1
You were absent from school today. Mr. Watanabe said you had a cold. I hope it is not so bad. Are you OK now?
It's been three weeks since you came to Japan, and I guess you are getting tired now. I hope you will take a good rest, and get 5 well soon.
Today, in our history class, the teacher told us about Independence Day※ in America. He said they have big events like parades and concerts. I thought it was really exciting. Can you tell us about it when you get well and come back to school? 10
Take care, Miyu

From: Alex Smith
To: Miyu Kudo
Date: July 4
Subject: Getting Better

Hi, Miyu. Thank you for the mail. 1
Yes, I caught a cold, but I'm getting much better now.
This morning, when I got up, I had a sore throat※, so I took my temperature. It was not high, but my host mother said I should be careful. She said I should take some pills※ and stay home today, 5 and so I did.
Now my throat is all right. I think I can go to school tomorrow.
We can talk about Independence Day then.
By the way, could you tell me if there is anything special I should take to school tomorrow? 10
Thank you for your consideration※. Alex

From: Miyu Kudo
To: Alex Smith
Date: July 4
Subject: Tomorrow

Hi! 1
Thank you for your quick reply.
I'm glad to know that you feel much better now.
Well, tomorrow, we have only four classes. In the afternoon, we have a pep rally※. This is an event for the team members who 5 are going to take part in the summer competitions※. We all sing together and cheer the players. You will love it!
You don't need to take anything for the pep rally. Just take the books and other things for the morning classes.

See you soon, 10
Miyu

※Independence Day : 独立記念日(どくりつきねんび)
※sore throat : のどの痛(いた)み
※pill : 錠剤(じょうざい)の薬(くすり)
※consideration : 思(おも)いやり
※pep rally : 壮行会(そうこうかい)
※competition : 競技会(きょうぎかい)、試合(しあい)

(1) What did the history teacher talk about?
☐
1 Independence Day.
2 His trip to Japan.
3 About three weeks.
4 The history of parades and concerts.

(2) Why was Alex absent from school?
☐
1 Because it was Independence Day.
2 Because they had a pep rally.
3 Because he had a high temperature.
4 Because he had a sore throat.

(3) Tomorrow, in the pep rally, the students will
☐
1 have parades and fireworks.
2 sing together and cheer the players.
3 take part in the summer competition.
4 study history.

重要度 A

Eメール・手紙文の問題 解答・解説

(1) 質問訳 **歴史の先生は何について話したか。**

ANSWER 1

解説 1通目のメールは学校を休んだアレックスにミユが出したお見舞いのメール。2通目と3通目は、そのメールに対する返信のやりとりになっている。アレックスはアメリカから日本にやってきて、今は日本の学校に通っていると考えられる。1通目のメールの7行目を見ると、Today, in our history class, the teacher told us about Independence Day in America.という文がある。歴史の授業で先生が、アメリカの独立記念日について話したということなので、正解は**1**。

(2) 質問訳 **アレックスはなぜ学校を休んだのか。**

ANSWER 4

解説 2通目のメールの中でアレックスはその日の朝起きたときI had a sore throat「のどが痛かった」と言っている。しかし熱を測ってみるとIt was not high「高くなかった」とある。その後、ホストマザーの言葉に従って家にいたと書いているので、正解は「のどが痛かったので」という**4**。

(3) 質問訳 **明日、壮行会で生徒たちは________**

ANSWER 2

解説 英文を完成させる問題。壮行会については3通目のメールでミユが説明している。We all sing together and cheer the players.「学校全体で歌を歌って選手の応援をする」と言っている。このことから正解は**2**。pep rallyは、試合に出るスポーツチームなどを激励、応援する催し。

覚えておきたい単語・熟語

1 absent 欠席の
2 I guess ～ ～だと思う
3 get tired 疲れる
4 take a rest 休憩する、休む
5 get well よくなる
6 event 催し、行事
7 Take care. 気をつけて。
8 take temperature 熱を測る
9 be careful 気をつける、注意する
10 by the way ところで
11 reply 返信
12 See you soon. ではまた。(別れるときの挨拶)

訳

送信者：クドウ・ミユ
宛先：アレックス・スミス
日付：7月4日
件名：大丈夫？

こんにちは、アレックス。
今日は学校をお休みでしたね。渡辺先生は、あなたがかぜだと言っていました。あまりひどくなければよいのだけれど。今は、大丈夫ですか？
あなたが日本に来て3週間、今、疲れてきているのではないかと思います。ゆっくり休んで、早くよくなることを願っています。
今日、歴史の授業で、先生がアメリカの独立記念日について話してくれました。パレードやコンサートなどの大きな催しがあると言っていました。おもしろそうだなと思いました。よくなって学校に戻ったらそれについて教えてもらえますか？　お大事に、 ミユ

送信者：アレックス・スミス
宛先：クドウ・ミユ
日付：7月4日
件名：よくなってきているよ

こんにちは、ミユ。メールをありがとう。
そう、かぜをひいたのですが、今はずいぶんよくなってきています。
今朝起きたとき、のどが痛かったので熱を測ったんです。高くはなかったけれど、ホストマザーは気をつけた方がよいと言ったんです。薬を飲んで、今日は家にいた方がよいと言ったので、そのようにしました。
今はもう、のどはよくなりました。明日は学校に行けると思います。そのときに独立記念日について話ができますね。
ところで、明日何か学校に特別に持って行くものがあったら、教えてもらえますか？
心配してくれてありがとう。　アレックス

送信者：クドウ・ミユ
宛先：アレックス・スミス
日付：7月4日
件名：明日

こんにちは！　早速の返信をありがとう。今はずいぶんよくなったということで、うれしく思います。
さて、明日は4時間授業です。午後は壮行会があります。これは夏の大会に出るチームのメンバーのための催しです。学校のみんなで歌を歌って選手たちを応援します。きっと気に入ると思います。
壮行会には特別に持って行くものはありません。午前の授業の教科書やそのほかに必要なものを持って行けばいいです。　それではまた、 ミユ

Eメール・手紙文の問題

次のEメールの内容に関して、後の質問に対する答えとして最も適切なもの、または文を完成させるのに、最も適切なものを **1**、**2**、**3**、**4** の中から一つ選びなさい。

From: Kate Miller
To: Nick Davis
Date: July 15
Subject: Plans for summer

Hi Nick,
How are you? It'll soon be the summer vacation. Do you have any plans for the summer? I'm planning to go to Yellowstone National Park※ with my cousins. Do you want to come with us? It'll be a lot of fun to spend time there! I would really love to see the hot springs and the beautiful lakes. Also, we have a lot of activities to do! For example, we can go hiking and enjoy watching the great views. We can ride horses, too.
We're going to go there on August 12. I'll be very happy if you can come, too!

Take care,
Kate

From: Nick Davis
To: Kate Miller
Date: July 15
Subject: Yellowstone National Park

Hi Kate,
Thanks for your e-mail. Of course, I'll join you. I really like horses, so I'd like to try horseback riding. I want to take pictures of the hot springs, too.
Actually, I've never had any chances to go hiking and I don't have any hiking boots. Can you go shopping with me next weekend?

Write back soon,
Nick

From: Kate Miller
To: Nick Davis
Date: July 15
Subject: Shopping

Hi Nick, 1
Do you want me to choose your hiking boots? I don't think it's such a good idea because we are both beginners! My dad knows some good shops and he can take us there next Sunday. Come to my house at 11 a.m. Before starting shopping, we can have 5 lunch together.
Anyway, I'm glad you can join us. I can't wait to go to the park with you!

See you on Sunday,
Kate 10

※Yellowstone National Park：イエローストーン国立公園

(1) On August 12, Kate will
1 go shopping with her father.
2 have lunch with Nick.
3 go to Yellowstone National Park.
4 buy hiking boots.

(2) Why does Nick need to go shopping?
1 He wants a new camera.
2 He wants to choose some good boots for Kate.
3 He is too busy on Sundays.
4 He needs a pair of hiking boots.

(3) What time should Nick go to Kate's house?
1 At 10 a.m.
2 At 11 a.m.
3 At 10 p.m.
4 At 11 p.m.

重要度 A

Eメール・手紙文の問題 解答・解説

(1) 質問訳 **8月12日、ケイトは＿＿＿＿＿**

ANSWER **3**

解説 英文を完成させる問題。1通目のメールでは、ケイトがニックに夏休みの予定についてたずねている。1通目のメールの3行目を見ると、I'm planning to go to Yellowstone National Park with my cousins.という文がある。イエローストーン国立公園に行く計画をしているということなので、正解は**3**。

(2) 質問訳 **なぜニックは買い物に行く必要があるのか。**

ANSWER **4**

解説 2通目のメールで、ニックはケイトの誘いにOf course, I'll join you.「もちろん、参加します」と返し、国立公園に行くことになった。しかし、そのあと I don't have any hiking boots.「ハイキング用の靴を持っていない」と言っている。靴を買うためにショッピングに行くということなので、正解は**4**。

(3) 質問訳 **何時にニックはケイトの家に行くべきか。**

ANSWER **2**

解説 3通目のメールで、ケイトの父親が店に連れて行ってくれるとある。そこでケイトはニックに、Come to my house at 11 a.m.「午前11時に私の家へ来てね」と言っているので、正解は**2**。a.m.やp.m.は11 a.m.のように時刻の後ろにつけるので気をつけたい。

覚えておきたい単語・熟語

1	plans for　～の予定	**6**	hiking boots　ハイキング用の靴
2	hot spring　温泉	**7**	Write back soon,　すぐに返事して、
3	For example,　例えば、	**8**	both　どちらも
4	horseback riding　乗馬	**9**	Anyway　とにかく
5	Actually　実は	**10**	I can't wait　～が待ち遠しい

訳

送信者：ケイト・ミラー
宛先：ニック・デイビス
日付：7月15日
件名：夏の予定

こんにちは、ニック。
お元気ですか？ もうすぐ夏休みですね。夏の予定はありますか？ 私は、いとこたちと一緒にイエローストーン国立公園に行く予定です。あなたも一緒に行きませんか？ そこで時を過ごすのは、とても楽しいと思います！ そこの温泉や美しい湖をぜひ見てみたいんです。また、たくさんのアクティビティーがあります！ 例えば、ハイキングをしたり、すばらしい景色を見て楽しんだりすることができます。馬に乗ることもできます。
私たちは8月12日にそこに行く予定です。あなたも来てくれたら、とてもうれしいです！
元気で。 ケイト

送信者：ニック・デイビス
宛先：ケイト・ミラー
日付：7月15日
件名：イエローストーン国立公園

こんにちは、ケイト。
メールをありがとう。もちろん、参加しますよ。僕は馬が大好きなので乗馬に挑戦してみたいです。温泉の写真も撮りたいです！
実は、ハイキングに行く機会がなくて、ハイキング用の靴も持っていません。今度の週末、一緒に買い物に行ってもらえますか？
早めに返事をくださいね。 ニック

送信者：ケイト・ミラー
宛先：ニック・デイビス
日付：7月15日
件名：買い物

こんにちは、ニック。
私にあなたのブーツを選んでほしいの？ 二人とも初心者だから、それはあまりよくないと思います！ お父さんがいいお店を知っていて、今度の日曜日に私たちを連れて行ってくれます。朝11時に家に来てください。買い物を始める前に一緒にお昼を食べましょう。
とにかく、あなたが参加できることをうれしく思います！ あなたと一緒に公園に行くのが待ち遠しいです！
では、また日曜日に。 ケイト

Eメール・手紙文の問題

次のEメールの内容に関して、後の質問に対する答えとして最も適切なものを**1**、**2**、**3**、**4**の中から一つ選びなさい。

From: Tomoko Sato
To: Carol Baker
Date: January 27
Subject: Happy birthday!

- -

Hello, Mrs. Baker, and Happy Birthday! 1
I wish you a wonderful year ahead.
I sent you something little last week. I hope you will like it.

It is already five months since I left Washington, D.C. Time flies,
doesn't it? 5
Now I'm busy studying and playing basketball.
Our team had a practice game last Sunday, and we won.
We will have another game next Sunday.

How is everyone in your family?
Has Mr. Baker finished making the model plane? 10
Can Mike ride a bike now?
I hope to hear from you soon.

Well, I have to go now.
Talk to you later.
Tomoko 15

From: Carol Baker
To: Tomoko Sato
Date: January 28
Subject: Thank you

Hello, Tomoko. How are you? Thank you very much for the wonderful Japanese tea cup. I was really excited when I got your present. The faces of you and your family are printed on the side of the cup, and it is so lovely! It is a wonderful birthday present! This morning, I put coffee instead of tea in the cup and drank it. The coffee tasted very good. I will use this cup every morning, and think of you.

How is the winter in Tokyo? It's still cold here in Washington, but we haven't had any snow this year. Anyway, thank you again for your gift, and please say hello to your parents! I hope you'll come and visit us again someday soon.

Best wishes,
Carol

(1) When did Tomoko leave Washington, D.C.?

1 In January.
2 In June.
3 In August.
4 In October.

(2) What will Tomoko do next Sunday?

1 She will visit Carol Baker.
2 She will play basketball.
3 She will send a birthday present.
4 She will leave Washington, D.C.

(3) What did Tomoko send Carol?

1 A letter.
2 Japanese tea.
3 Japanese coffee.
4 A tea cup.

重要度B Eメール・手紙文の問題 解答・解説

(1) 質問訳 **トモコがワシントンを去ったのはいつか。**

ANSWER **3**

解説 1通目のメールの4行目でトモコはIt is already five months since I left Washington, D.C. と言っている。このメールを出したのが1月27日で、この時点でワシントンを去ってから5か月が過ぎている。1月から5か月さかのぼって、**3** August「8月」となる。**1** January「1月」、**2** June「6月」、**4** October「10月」。

(2) 質問訳 **次の日曜日にトモコは何をするか。**

ANSWER **2**

解説 1通目の7行目でトモコはOur team had a practice game last Sundayと言っている。そして8行目でWe will have another game next Sunday.「次の日曜日にもう1試合します」と言っているので、バスケットボールの試合をするとわかる。

(3) 質問訳 **トモコはキャロルに何を送ったのか。**

ANSWER **4**

解説 2通目のメールの1行目でキャロルはThank you very much for the wonderful Japanese tea cup.「すばらしい日本の湯のみ茶わんをどうもありがとう」と言っている。この文から判断して、トモコはキャロルに日本の湯のみ茶わんを送ったことがわかる。

覚えておきたい単語・熟語

1 wonderful　すばらしい
2 ahead　前に
3 something little
ちょっとしたもの
4 already　すでに
5 Time flies
光陰矢のごとし（「時が過ぎるのは早い」ということわざ）
6 won　win（勝つ）の過去形
7 Talk to you later.
また連絡します。
8 Thank you (very much) for ～
～をどうもありがとう
9 excited　わくわくしている
10 instead of ～　～の代わりに
11 taste　味がする
12 think of ～
～のことを思う、思い出す
13 still　今でも、まだ
14 anyway　とにかく
15 say hello to ～　～によろしく
16 parent　親
17 someday　いつか

訳

送信者：サトウ・トモコ
宛先：キャロル・ベイカー
日付：1月27日
件名：誕生日おめでとう！

ベイカーさん、こんにちは。そして誕生日おめでとう！
すばらしい一年が待っていますように。
先週ちょっとした品物を送りました。気に入っていただけるといいなと思います。

私がワシントンを離れてからもう5か月になります。光陰矢のごとしですね。
今、私は勉強とバスケットボールで忙しいです。
この前の日曜日に練習試合があり、私たちのチームが勝ちました。
今度の日曜日にまた試合があります。

家族の皆様はお元気ですか？
ミスターベイカーは模型飛行機を作り終えましたか？
マイクはもう自転車に乗れるようになりましたか？
近いうちに便りをいただけたらと思います。

では、そろそろ終わりにしなくてはいけません。
またお便りします。
トモコ

送信者：キャロル・ベイカー
宛先：サトウ・トモコ
日付：1月28日
件名：ありがとう

こんにちは、トモコ。元気ですか？
すばらしい日本の湯のみ茶わんをどうもありがとう。あなたからのプレゼントをもらったとき本当に感激しました。あなたとあなたの家族の顔がカップの側面に印刷されていて、それがとてもすてきです！　すばらしい誕生日プレゼントです！　今朝、そのカップにお茶の代わりにコーヒーを入れて飲みました。コーヒーがとってもおいしかったです。このカップを毎朝使って、あなたのことを思い出すようにします。

東京の冬はどうですか？　ここワシントンはまだ寒いですが、今年はまだ雪がありません。それはそうと、くり返しますが、贈り物をありがとうございました、ご両親によろしくお伝えください！　いつかまた近いうちに、わが家を訪れてくれるといいなと思います。

お元気で
キャロル

Eメール・手紙文の問題

次の手紙文の内容に関して、後の質問に対する答えとして最も適切なものを**1**、**2**、**3**、**4**の中から一つ選びなさい。

November 30

Dear Mom and Dad,

How are you doing? I'm enjoying my life here in the U.S. Thank you for sending me the new sweater. It's just the right size for me. It's getting colder here day by day. So I think I will wear it every day.

My host family, the Browns, are all very kind to me. Mr. Brown often cooks dinner. His roast beef and baked potatoes are really delicious. Mrs. Brown is good at making apple pies. The other day she taught me how to make them. It was not so difficult.

The school life here is fun. Science and math are not so difficult, though I don't understand some words that the teacher says. I think history is the hardest for me because there are many names of people and places that I don't know. My classmate Meg sometimes helps me with it. She is really kind.

Last Thursday was "Thanksgiving Day," and we had a four-day weekend. The Browns and I took a trip to Memphis. It usually takes four or five hours from Nashville to Memphis, but it took more than eight hours because the roads were crowded.

The next day we visited Elvis Presley's house. This is a place that Mr. Brown wanted to visit for a long time. You know, Mr. Brown is a big fan of Elvis. He says he has all his records. We had a very good time in Memphis and left there on Saturday afternoon. We arrived home late in the evening.

Well, it's time to go to bed now. I will write again. Take care.

Love,

Yoko

(1) How did Yoko get her sweater?
☐
1 She bought it in Japan.
2 She bought it in the U.S.
3 The Browns bought it for her.
4 Her parents sent it to her.

(2) What did Mrs. Brown teach Yoko?
☐
1 How to bake potatoes.
2 How to make apple pies.
3 English and history.
4 Math and science.

(3) Which class is the most difficult for Yoko?
☐
1 Math is.
2 Science is.
3 History is.
4 English is.

(4) Why did it take so long to get to Memphis?
☐
1 Because the roads were crowded.
2 Because they left home late in the evening.
3 Because their car broke down.
4 Because they lost their way.

(5) Why did the Browns go to Elvis Presley's house?
☐
1 Because Yoko liked him very much.
2 Because Mr. Brown liked him very much.
3 Because there was a rock concert there.
4 Because Mr. Brown wanted to buy his records.

重要度B Eメール・手紙文の問題 解答・解説

(1) **質問訳** **ヨウコはどうやってセーターを手に入れたのか。** ANSWER 4

解説 2行目にThank you for sending me the new sweater.「新しいセーターを送ってくれてありがとう」と書いていることから、セーターは日本の両親が送ってくれたことがわかる。Thank you for ～ ing「～してくれてありがとう」。

(2) **質問訳** **ブラウン夫人はヨウコに何を教えたか。** ANSWER 2

解説 7行目で、ブラウン夫人はアップルパイを作るのが上手だと言ったうえで、ヨウコはThe other day she taught me how to make them.「この前、彼女は私に作り方を教えてくれた」と書いている。how to ～「～の仕方」。

(3) **質問訳** **ヨウコにとって、どの授業が一番難しいか。** ANSWER 3

解説 なじみのない地名や人名の出てくる歴史が一番難しいと書いている。11行目のI think history is the hardest for me ～.「私にとっては歴史が一番難しいと思う」からわかる。the hardestはhardの最上級で「一番きつい」という意味。math「数学」、science「理科」。

(4) **質問訳** **メンフィスに着くのに、なぜそんなに長い時間がかかったのか。** ANSWER 1

解説 17行目にbecause the roads were crowded「道が混んでいたから」とある。crowdedは「混雑している」という意味。アメリカでは感謝祭の時期は道路も空港ロビーもたいへん混雑する。日本の帰省ラッシュと似ている。**2**「夜遅くに家を出た」、**3**「車が故障した」、**4**「道に迷った」は文中にない。

(5) **質問訳** **なぜブラウンさん一家はエルヴィス・プレスリーの家に行ったのか。** ANSWER 2

解説 20行目のMr. Brown is a big fan of Elvis.「ブラウンさんはエルヴィスの大ファンだ」からわかる。エルヴィス・プレスリーとは、おもに1950年代にアメリカで活躍したロックンローラー。今でもファンは多い。彼の家はテネシー州のメンフィスに残っている。たいへん人気のある観光スポットで、毎年多くの人が訪れる。

訳

11月30日

お母さん、お父さんへ

元気ですか。私はここアメリカの生活を楽しんでいます。新しいセーターを送ってくれてありがとう。私にぴったりのサイズです。こちらでは日に日に寒くなってきています。だからこのセーターを毎日着ようと思います。

ホストファミリーのブラウンさん一家は皆さん私にとても親切にしてくれます。ブラウンさんはよく夕食を作ってくれます。彼の作ったローストビーフとベークドポテトは本当においしいです。ブラウン夫人はアップルパイを作るのが上手です。先日、私にその作り方を教えてくれました。そんなに難しくありませんでした。

こちらの学校生活は楽しいです。理科と数学はそんなに難しくありません。もっとも先生の言う単語の中にはいくつか理解できない語がありますが。私には歴史が一番大変です。というのも、名前の知らない人や場所がたくさんあるからです。クラスメートのメグが時どき歴史を手伝ってくれます。メグは本当に親切なんです。

この前の木曜日は感謝祭の日でした。そして週末は4日間のお休みがありました。ブラウンさん一家と私はメンフィスを旅行しました。普通ナッシュビルからメンフィスへは4～5時間で行けるんですが、8時間以上もかかってしまいました。道が混んでいたんです。

翌日はエルヴィス・プレスリーの家を訪れました。ここはブラウンさんが長い間、訪れたいと思っていた所です。じつは、ブラウンさんはエルヴィスの大ファンなんです。彼のレコードはみんな持っていると言っています。私たちはメンフィスで楽しく過ごして土曜の午後、メンフィスを発ちました。家にはその日の晩遅くに着きました。

さて、もう寝る時間です。また手紙を書きます。じゃあ、お元気で。

ではまた。

ヨウコ

覚えておきたい単語・熟語

1 Thank you for ～ ing　～してくれてありがとう
2 sweater　セーター
3 the right size　ちょうどよいサイズ
4 day by day　日ごとに
5 wear　身につける
6 (be) kind to ～　～に対して親切だ
7 delicious　おいしい
8 the other day　先日
9 help ～ with …　～の…を手伝う
10 take a trip　旅行する
11 crowded　混んでいる
12 for a long time　長い間
13 have a good time　楽しく過ごす
14 Take care.　元気でね。

説明文の問題

次の英文の内容に関して、後の質問に対する答えとして最も適切なもの、または文を完成させるのに最も適切なものを **1**、**2**、**3**、**4** の中から一つ選びなさい。

A Fry-Up

What do the people in England eat for breakfast? Today many people, especially children, usually eat a bowl of cereals. They also eat a slice of toast, and drink orange juice and coffee.

However, the traditional English breakfast is different. It is very famous in England and the world. It is called the English Breakfast, a full English breakfast or a 'fry-up'. You can eat it at a cafe or you can make it at home. Many different foods are used in it. For example, eggs, sausages※, baked beans, tomatoes, mushrooms and bread. Everything is fried, so some people say it is not good for your health.

They only eat a 'fry-up' about once a month, usually on a Sunday. On Sunday, they usually have lots of time to prepare and cook. Sometimes, they also eat the food which is called 'Black Pudding'. What do you think it is? It is known as blood※ sausage. It is dried pig blood mixed with oatmeal※. It sounds very bad, but the taste is very good, so it is loved by children, too.

The British people usually eat the English Breakfast with a cup of tea. Tea is very popular in England. If you ask an English person, "what is your favorite drink?", probably 100% will say "tea". They drink tea with breakfast, with a snack in the morning, at lunchtime, in the afternoon – all day long!

Tea is usually drunk with milk and sometimes with sugar. Herbal※ teas like peppermint※ and rose hip※ are becoming more popular, but black tea is still the most popular in England.

※sausage : ソーセージ
※blood : 血
※oatmeal : オートミール
※herbal : ハーブの
※peppermint : ペパーミント
※rose hip : ローズヒップ（バラの実）

(1) What do many children in England usually eat for breakfast?

☐

1 They eat breakfast at home.
2 They eat breakfast in the morning.
3 They eat the traditional English breakfast.
4 They eat a bowl of cereals.

(2) How often do they eat the traditional English breakfast?

☐

1 They eat it every morning.
2 Usually once a month.
3 They eat it all day long.
4 They often eat it at a cafe.

(3) Why do some people say the English Breakfast is not healthy?

☐

1 It is called 'Black Pudding'.
2 Everything is fried.
3 Many different foods are used in it.
4 It is made from pig blood.

(4) The British people usually drink tea

☐

1 with their families and friends.
2 only in the afternoon.
3 with milk.
4 because it is healthy.

(5) What is the story about?

☐

1 Breakfast in England.
2 A famous cook and his restaurant.
3 A famous festival in England.
4 Healthy fruits and vegetables.

重要度 A 説明文の問題 解答・解説

(1) **質問訳 イギリスの子どもたちの多くはふだん朝食に何を食べるか。** ANSWER **4**

解説 1行目のToday many people, especially children, usually eat a bowl of cereals. という文から、cereal「シリアル」を食べていることがわかる。シリアルはコーン・フレークなど、穀物の加工食品のこと。especially「特に」、a bowl of ～「ボウル1杯の～」。

(2) **質問訳 伝統的なイギリス風朝食はどのくらいの頻度で食べられるか。** ANSWER **2**

解説 How often は「どれくらいしばしば」という意味で、頻度をたずねる表現。第3段落冒頭にThey only eat a ‘fry-up’ about once a month, とある。「フライ・アップ」は伝統的なイギリス風朝食の別名なので、答えは月に1回であることがわかる。traditional「伝統的な」、every morning「毎朝」、all day long「一日中」。

(3) **質問訳 イギリス風朝食は健康によくないと言う人がいるのはなぜか。** ANSWER **2**

解説 理由をたずねる問題。理由に関する記述を探すときは、接続詞のbecauseやsoに注目する。becauseならその後ろに、soならその前に理由が書かれている。ここでは、8行目にEverything is fried, so ～ . とあるので、「すべてが油で料理されている」ことが理由と考えられる。

(4) **質問訳 イギリス人が紅茶を飲むのはたいてい＿＿＿＿＿** ANSWER **3**

解説 文完成型の問題。18行目にThey drink tea with breakfast, ～ . という文が本文にあるが、その内容は選択肢の中にはない。そこでほかの文を見ると、21行目にTea is usually drunk with milk ～ . とある。「紅茶はミルクとともに飲まれる」という受け身の文だが、イギリス人を主語にして考えれば、「紅茶をミルクとともに飲む」ということになるので、**3**が正解。

(5) **質問訳 この話は何についてのものか。** ANSWER **1**

解説 話の全体をとらえて答える問題。この話はイギリスの朝食と、そこで飲む紅茶について書いてある。したがって正解は**1**。**2**は「有名なコックと彼のレストラン」、**3**は「イギリスの有名なお祭り」、**4**は「健康的なくだものと野菜」という意味で、いずれもこの話の内容とは合わない。

訳 フライ・アップ

イギリスの人々は朝食に何を食べるでしょう？　今日では多くの人、特に子どもたちは普通ボウル１杯のシリアルを食べます。また、一切れのトーストを食べたり、オレンジジュースやコーヒーを飲んだりします。

しかし、伝統的なイギリスの朝食は違います。それはイギリスでも世界でも有名で、イギリス風朝食、正式な朝食、あるいは「フライ・アップ」などと呼ばれています。カフェで食べることもできますし、家で作ることもできます。様々な食べ物が使われています。例えば卵、ソーセージ、ベークドビーンズ、トマト、キノコやパンなどです。すべて油で料理されているので、健康によくないと言う人もいます。

「フライ・アップ」は、およそ月に１回だけ、たいていは日曜日に食べられます。日曜日には普通、準備したり料理したりする時間がたくさんあるからです。ときには「ブラックプディング」と呼ばれる食べ物を食べることもあります。それは何だと思いますか？　それは血のソーセージとして知られています。乾燥したブタの血をオートミールと混ぜたものです。とてもまずそうに聞こえますが、味はとてもよいので、子どもたちも大好きです。

イギリス人はたいてい、イギリス風朝食をカップ１杯の紅茶を飲みながら食べます。紅茶はイギリスでとても人気があります。イギリス人に「好きな飲み物は何ですか？」とたずねれば、おそらく100%の人が「紅茶」と答えるでしょう。彼らは紅茶を朝食で、午前のおやつで、昼食時に、午後に、つまり一日中飲むのです！

紅茶は普通ミルクを入れて飲みます。砂糖を入れて飲むこともあります。ペパーミントやローズヒップのようなハーブティーも人気が出てきていますが、イギリスでは今でも紅茶が一番人気があります。

覚えておきたい単語・熟語

1	especially　特に	**11**	for example　例えば
2	usually　たいてい、普通は	**12**	everything　すべてのもの
3	bowl　ボウル	**13**	health　健康
4	a slice of ～　一切れの～	**14**	prepare　準備する
5	toast　トースト	**15**	blood　血
6	however　しかしながら	**16**	dry　乾いた、乾かす
7	traditional　伝統的な	**17**	sound　音、～に聞こえる
8	famous　有名な	**18**	taste　味、味がする
9	full　完全な、正式な	**19**	person　人
10	different　異なった、違った	**20**	probably　おそらく

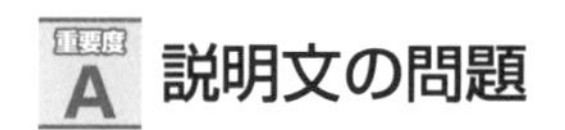

Hawaii

Hawaii is the only island※ state in the United States. It has eight big islands and more than one hundred small islands. It is called the Aloha State, and its biggest city is Honolulu. It became the 50th state on August 21, 1959.

The first people that lived in Hawaii were Polynesians. They came to Hawaii more than one thousand years ago. Then, in 1778, Captain Cook reached the islands and named them the Sandwich Islands. In the 19th century, a lot of people came from Asia to work in Hawaii.

In 1941, a lot of Japanese planes came and attacked the ships in Pearl Harbor. Soon after that, the United States went into World War Ⅱ.

Hawaii has two seasons: summer and winter. Its winter is from the second half of October to the first half of April. But even in winter, it is very warm in Hawaii. It snows only on top of high mountains. Also, winter is the best season for whale watching. Summer in Hawaii is hot and sunny, so the beaches are very crowded. And if you like fruits, this is the best season for mangos. They taste very good in summer. You can find these delicious tropical fruits at every fruit stand.

Today, a lot of people travel to Hawaii. In the 1990s, about 6.5 million people visited Hawaii each year. Most of them come from the United States, Canada and Japan. They visit Hawaii because they can enjoy many things all through the year. For example, swimming, surfing, fishing, shopping, etc. Do you want to go there, too?

※island : 島(しま)

(1) What is the nickname of Hawaii?
☐
1 It is the only island state.
2 The biggest city is Honolulu.
3 It is the Aloha State.
4 The first people that lived there were Polynesians.

(2) What season is it in May in Hawaii?
☐
1 It has two seasons: summer and winter.
2 It is summer.
3 It is winter.
4 It is the best season for whale watching.

(3) Why did many people come to Hawaii in the 19th century?
☐
1 They came to Hawaii to enjoy swimming.
2 Captain Cook came to the islands.
3 Because they wanted to watch whales.
4 They came to work.

(4) Many people travel to Hawaii because
☐
1 they can enjoy many things all through the year.
2 they can work and get a lot of money.
3 they can enjoy winter sports.
4 they can eat good sandwiches.

(5) What is this story about?
☐
1 The 50th state of America.
2 The man who reached Hawaii in 1778.
3 The people who came to work in the 19th century.
4 The Japanese planes that attacked the ships.

説明文の問題 解答・解説

(1) **質問訳** ハワイのニックネームは何か。 **ANSWER 3**

解説 ハワイのニックネームは「アロハ州」である。2行目のIt is called the Aloha State, という文からわかる。It is called ～. は「それは～と呼ばれている」という意味。Alohaは「ようこそ、さようなら」など人を迎えたり送ったりするときの、ハワイの言葉。

(2) **質問訳** ハワイでは、5月は何の季節か。 **ANSWER 2**

解説 ハワイは夏と冬の二つの季節しかない。11行目に Its winter is from the second half of October to the first half of April. とあるので、5月は冬に入らない。したがって、5月は夏となる。the second half「後半」、the first half「前半」。

(3) **質問訳** 19世紀にはなぜ多くの人がハワイに来たか。 **ANSWER 4**

解説 19世紀には大勢のアジアの人が仕事を求めてハワイにやって来たことが、7行目のIn the 19th century, a lot of people came from Asia to work in Hawaii. からわかる。centuryは「世紀」の意味。the 21st(twenty-first) century「21世紀」。**1**「水泳を楽しむため」は、ハワイの旅行者の目的。

(4) **質問訳** 多くの人がハワイに旅行する理由は＿＿＿＿ **ANSWER 1**

解説 このように文の前半が書いてあり、続きを選択肢の中から選ぶ問題も出題される。ここでは20行目のThey visit Hawaii because they can enjoy many things all through the year.という文が、ほぼそのまま正解となる。つまりall through the year「一年中」、they can enjoy many things「いろいろなことを楽しめる」が、多くの人がハワイに旅行する理由。

(5) **質問訳** この話は何についてのものか。 **ANSWER 1**

解説 **2**「1778年にハワイに到着した人」、**3**「19世紀に働きに来た人たち」、**4**「船を攻撃した日本の飛行機」は、いずれも本文に出てくるが、それが話題の中心ではない。ハワイのこと自体が話の中心として述べられているので、ハワイを示している「アメリカの50番目の州」が最も適切。

訳 ハワイ

ハワイは合衆国で唯一の島の州です。そこには八つの大きな島と100を超える小さな島があります。ハワイは「アロハ州」と呼ばれ、その最大の都市はホノルルです。ハワイは1959年8月21日に50番目の州となりました。

ハワイに最初に住んでいた人々はポリネシア人でした。彼らは1000年以上前にハワイにやって来ました。そして1778年にはキャプテン・クックがやって来て、その島々を「サンドイッチ諸島」と名づけました。19世紀にはアジアから大勢の人がハワイで働くためにやって来ました。

1941年には多くの日本の飛行機がやって来て真珠湾の船を攻撃しました。その後まもなく、合衆国は第二次世界大戦に参戦しました。

ハワイには二つの季節、夏と冬があります。ハワイの冬は10月の後半から4月の前半までです。しかし、ハワイは冬でもたいへん暖かいのです。雪は高い山の上に降るだけです。また、冬はクジラを見るのにも最高の季節です。ハワイの夏は暑くてよく晴れるので、海岸はとても混雑します。そして、くだものが好きなら、夏はマンゴーが最高です。夏にとてもおいしくなるのです。あらゆるくだものの屋台で、このおいしいトロピカルフルーツを見つけることができます。

今日では多くの人がハワイに旅行します。1990年代には毎年650万人がハワイを訪れました。そのうちのほとんどの人が合衆国、カナダ、そして日本からやって来ます。それらの人々がハワイにやって来るのは、ハワイでは一年中いろんなことを楽しめるからです。例えば、水泳、サーフィン、釣り、買い物などです。皆さんもハワイに行ってみたいですか？

覚えておきたい単語・熟語

1 reach 到着する
2 name 名づける
3 century 世紀
4 a lot of たくさんの
5 soon まもなく
6 World War Ⅱ 第二次世界大戦
7 half 半分
8 even ～でさえ
9 warm 暖かい
10 whale watching クジラ観察
11 crowded 混雑している
12 taste 味がする
13 tropical fruit トロピカルフルーツ、熱帯産のくだもの
14 stand 屋台、売店
15 million 100万
16 each year 毎年
17 all through the year 一年中

説明文の問題

次の英文の内容に関して、後の質問に対する答えとして最も適切なもの、または文を完成させるのに最も適切なものを **1**、**2**、**3**、**4** の中から一つ選びなさい。

Whales

Whales live in the water and they look like fish in many ways, but they are not fish. There are some differences between whales and fish. For example, fish are cold-blooded, but whales keep a warm body temperature of about 37℃. Also, fish move their tails※ side to side when they swim, but whales move their tails up and down. Fish have gills※, but whales do not. So whales cannot breathe※ under water. They must come up to the surface※ of the water to get air. They breathe through their "blowhole". When whales sleep, they stay at the top of the water.

There are more than seventy different kinds of whales. Some are as big as 30 meters in size, but others are only 2 meters long.

Whales have a very good sense of hearing. They can hear very quiet sounds that people cannot hear.

Whales like to sing. They sing when they call their friends. They also sing just for fun.

When whales have babies, they raise them with milk. Large whales can produce about 600 liters※ of milk in a day.

People have caught and killed a lot of whales. In the 1700s, they used whale oil in oil lamps. In the early 1900s, people began to use whale oil to make soap and margarine※. Also, they ate whale meat. Year by year, more and more whales were caught and killed. The number of whales became smaller and smaller. Also, more and more whales get sick because the sea water is getting dirtier. If we don't protect whales, they will die out in the near future.

※tail : 尾、尻尾
※gill : えら
※breathe : 呼吸する
※surface : 表面、水面
※liter : リットル
※margarine : マーガリン

(1) ☐ Why must whales come up to the surface of the water?

1 Because they cannot breathe under water.
2 Because they move their tails up and down.
3 Because they have gills.
4 Because their body temperature is about 37℃.

(2) ☐ What can whales do?

1 They can see very small things.
2 They can hear very quiet sounds.
3 They can sing with many different kinds of fish.
4 They can drink 600 liters of milk.

(3) ☐ How do mother whales raise their babies?

1 They sing songs for their babies.
2 They catch a lot of fish for the babies.
3 They use their oil to make soap and margarine.
4 They give them milk.

(4) ☐ What do we need to do now?

1 We need to protect whales.
2 We need to catch more whales.
3 We need to make more soap and margarine.
4 We need to use more oil in lamps.

(5) ☐ What is this story about?

1 A fish that lives in the sea.
2 A sea animal that looks like a fish.
3 The people who killed a lot of whales.
4 Soap and margarine made from whale oil.

重要度 B

説明文の問題 解答・解説

(1) 質問訳 **クジラはなぜ水面まで上がってこなくてはならないのか。**

ANSWER 1

解説 Whyの疑問文は理由や目的をたずねる。ここではクジラが水面まで上がってくる理由を聞いている。6行目にThey must come up to the surface of the water to get air.「空気を吸うために水面まで上がってこなくてはならない」とあることから、正解は「水中では呼吸ができないから」という**1**となる。

(2) 質問訳 **クジラは何をすることができるか。**

ANSWER 2

解説 クジラはたいへん耳がよく、小さな音を聞き取れることが、11行目のWhales have a very good sense of hearing. からわかる。senseは、ここでは感覚のこと。つまりhearing「聞き取り」の感覚がたいへん優れているのだ。**1**「とても小さなものが見える」、**3**「いろいろな魚と一緒に歌うことができる」は、本文で述べられていない。**4**「600リットルのミルクを飲める」は、本文では600リットルの母乳を作れるとあるが、飲めるとは述べていない。

(3) 質問訳 **母クジラは赤ちゃんをどのように育てるか。**

ANSWER 4

解説 15行目のWhen whales have babies, they raise them with milk. から、母乳を与えて育てることがわかる。下線部のtheyは母クジラを、themは赤ちゃんクジラを指す。raise「育てる」、with milk「母乳を用いて」。

(4) 質問訳 **私たちは今、何をする必要があるか。**

ANSWER 1

解説 22行目のIf we don't protect whales, they will die out in the near future.「私たちがクジラを保護しないと近い将来、絶滅するだろう」という文から、クジラを保護しなければならないことがわかる。protect「保護する」、die out「絶滅する」、in the near future「近い将来に」。

(5) 質問訳 **この話は何についてのものか。**

ANSWER 2

解説 話の全体をとらえて答える問題。この話がクジラについて書かれているのは明らか。四つの選択肢の中でクジラのことを指しているのは**2**のA sea animal that looks like a fish.「魚に見える海の動物」である。なお**1**は「海にすむ魚」、**3**は「たくさんのクジラを殺した人々」、**4**は「クジラの脂肪から作られた石けんやマーガリン」。

訳 クジラ

クジラは水中にすみ、いろいろな点で魚に似て見えますが、魚ではありません。クジラと魚では、いくつかの違いがあります。例えば、魚は冷血動物ですが、クジラは体温を約37℃に保っています。また、魚は泳ぐときに尾を左右に動かしますが、クジラは尾を上下に動かします。魚にはえらがありますが、クジラにはありません。だからクジラは水中で呼吸することができません。空気を吸うために水面まで上がってこなくてはなりません。クジラは「噴気孔」から呼吸をします。クジラは眠るときには水面にとどまっています。

クジラには70を超える異なった種類があります。30mを超える大きさのものがいる一方で、たった2mの長さのものもいます。

クジラは聴力がたいへん優れています。人間には聞こえないような静かな音も聞くことができます。

クジラは歌うことが好きです。仲間を呼ぶときに歌います。単に楽しみのためにも歌います。

クジラは赤ちゃんを産むと、母乳で育てます。大きなクジラだと一日に600リットルの母乳を作ることができます。

人間は数多くのクジラを捕まえて殺してきました。1700年代にはクジラの脂肪をランプの油に使っていました。1900年代の初めには人間はクジラの脂肪を石けんやマーガリンを作るために使い始めました。また、クジラの肉を食べました。年々、ますます多くのクジラが捕まえられ、殺されました。クジラの数はどんどん少なくなっていきました。さらに、海水が汚れつつあるために、ますます多くのクジラが病気になっています。私たちがクジラを保護していかないと、近い将来、クジラは絶滅してしまうでしょう。

覚えておきたい単語・熟語

1 look like ～　～のように見える
2 cold-blooded　冷血の
3 temperature　温度
4 up and down　上下に
5 different　異なった
6 kind　種類
7 sense　感覚
8 quiet　おとなしい、静かな
9 raise　育てる
10 produce　生産する
11 in a day　一日に
12 soap　石けん
13 meat　肉
14 year by year　年々
15 more and more ～　ますます多くの～
16 dirty　汚い
17 protect　守る、保護する
18 in the near future　近い将来に

試験に出る！ジャンル別・長文に使われる単語

■ 学校・留学

attend	動	出席する
education	名	教育
experience	名	経験
foreign	形	外国の
graduate	動	卒業する
homesick	形	ホームシックの
international	形	国際的な
invite	動	招待する
relaxed	形	くつろいだ
pack	動	荷造りする
pass	動	合格する
period	名	(授業の) 時間
pleasant	形	楽しい

■ 掲示・広告

attention	名	注意
cheap	形	安い
check	動	チェックする
free	形	自由な、無料の
helpful	形	助けになる
necessary	形	必要な
sell	動	売る
sign	名	標識、合図
warn	動	警告する
useful	形	役に立つ

■ スポーツ

active	形	活動的な
beat	動	たたく、負かす
condition	名	状態、コンディション
courage	名	勇気
exciting	形	わくわくさせるような
judge	動	判断する
point	名	点
powerful	形	力強い
practice	名	練習
surprising	形	驚くべき
win	動	勝つ

■ 文化

dramatic	形	劇的な
famous	形	有名な
fantastic	形	すばらしい
modern	形	現代の、近代的な
peaceful	形	平和な
perform	動	演じる
romantic	形	ロマンチックな
tragedy	名	悲劇

■ 科学

develop	動	発達する
discover	動	発見する
fail	動	失敗する
imagine	動	想像する
important	形	大切な
improve	動	改良する、向上させる
invent	動	発明する
museum	名	博物館
overcome	動	克服する
record	名	記録
since ～	接	～以来
valuable	形	価値のある
wonder	動	不思議に思う

第4章

ライティングテスト

3rd Grade

対策ポイント Eメール

指示に従って、英文のEメールを完成させる問題です。1通目のメールを読み、そこに示された条件に合った内容を自分で考え、返信メールの形にまとめます。

攻略方法

Point 1
最初のメールで状況をつかもう

受け取ったメールを読んで、そこに示された条件をきちんとつかみましょう。例えば次のようなことを読み取ります。

❶相手の立場は？

メールの相手はどんな立場の人なのでしょう？　友達なのか、留学生なのか、先生なのか、あるいは日本や自分の住む地域について詳しい人なのか、そうではないのか。相手の立場によって、自分の書くメールの内容も変わってきます。

❷話題は？

例えば、取り上げている話題は、過去のことなのか、これからの予定なのか。それとも現在のことなのか。それによって返信メールで使う英文も、過去形の文が中心になるのか、現在形の文が中心になるのか、などが決まってきます。

Point 2
質問に的確に答えよう

最初のメールに含まれている二つの質問に的確に答えましょう。答えの内容は自由に考えてよいですが、質問で問われていることにきちんと対応した内容にしないといけません。そのためには、次のような基本をきちんと押さえておきましょう。

(例) When? の質問→「時」を答える。　How many? の質問→「数」を答える。
Where? の質問→「場所」を答える。How long? の質問→「長さ」「期間」を答える。
Who? の質問→「人」を答える。　Why? の質問→「理由」を答える。

(例) did you? の質問＝過去のことを聞いている。→「過去形」を用いて答える。
Where did you go?　→　I went to the beach.
「どこに行きましたか？」「海岸に行きました。」

Point 3

「代名詞」の扱いに注意しよう

例えば次のようにたずねられたとします。

Tell me about your brother. How old is he?「お兄さんについて教えてください。彼は何歳ですか？」

対話の場面なら、He is twenty.「彼は20歳です。」などと答えれば十分です。しかし、メールの返信の中でいきなり He is twenty. と書いてもうまく伝わりません。

My brother is twenty years old. のように、代名詞が指し示すものをはっきりさせて、相手に誤解なく伝わるようにします。

Point 4

「付け足す」「つなぐ」で仕上げよう

質問に対する答えができたら、仕上げにかかります。文や語句を「付け足す」、そして「つなぐ」ことによって、自然な流れの返信メールを完成させます。

❶付け足す

質問に対する答えを並べただけではメールとしてはぎこちなく、不自然な状態です。次のような内容を付け足し、全体の流れを整えます。

◆具体情報…「いつ」「どこで」「誰と」「どれくらい」などの情報を付け足します。

(例) I use it every morning.「私は毎朝それを使います。」

◆自分の気持ち…自分の「感想」や「意見」、「好み」などを付け足します。

(例) It was interesting.「おもしろかったです。」

❷つなぐ

ひと通り書けたら読み返し、文のつながりが自然になっているかを確認しましょう。必要に応じて文を並べ替えたり、次のようなつなぎの語句を加えたりして、流れを整えます。

(例) Also,「そしてまた」 However,「とは言え、」 Anyway,「とにかく」 After all,「結局」

Point 5

「正確さ」を重視しよう

メールの内容は、「あなた自身で自由に考えて」答えるように指示されています。問題に示されたメールの書き手になりきって答えればよいので、皆さんにとっての「事実」を書かなくてもかまいません。解答は、「内容」の他に「語彙」「文法」が採点の対象になっています。「正確さ」を重視して、自分が自信を持って書ける語句や表現を選んで使うようにしましょう。

Eメール

●あなたは、外国人の友達(Emma)から以下のEメールを受け取りました。Eメールを読み、それに対する返信メールを、□に英文で書きなさい。

●あなたが書く返信メールの中で、友達(Emma)からの２つの質問(下線部)に対応する内容を、あなた自身で自由に考えて答えなさい。

●あなたが書く返信メールの中で□に書く英文の語数の目安は15～25語です。

●解答が友達(Emma)のEメールに対応していないと判断された場合は、0点と採点されることがあります。友達(Emma)のEメールの内容をよく読んでから答えてください。

●□の下のYour friend, の後にあなたの名前を書く必要はありません。

Hi,

How have you been?
The summer vacation is almost over.
This summer, I went camping in Green Park. How about you?
<u>Where did you go during the summer?</u> <u>What did you do there?</u>

I hope you had a great summer.
Emma

Hi, Emma!

Thank you for your e-mail.

解答欄に記入しなさい。

Your friend,

問題文訳

> こんにちは。
> 元気でしたか。
> 夏休みももうすぐ終わりですね。この夏、私はグリーンパークにキャンプに行きました。あなたはどうでしたか？
> この夏、どこに行きましたか？　そこで何をしましたか？
> 素敵な夏を送られていたらいいですね。
> エマ

> こんにちは、エマ！
> メールをありがとう。
> 解答欄に記入しなさい。
> あなたの友達

文章構成

① 一つ目の質問に答える
（例）I went to Kamakura.「鎌倉に行きました。」

② 二つ目の質問に答える
（例）I enjoyed walking around the town.「町のあちこちを散策して楽しみました。」

③ つなぐ・付け足す
（例）誰と：I went there with my family.「そこには家族と行きました。」
　　何を：I saw beautiful gardens.「美しい庭園を見ました。」

解答例

I went to Kamakura. I went there with my family. I enjoyed walking around the town. I saw beautiful gardens. We had a great time.（25語）

解答例訳 鎌倉に行きました。そこには家族と行きました。街中を散策して楽しみました。美しい庭園を見ました。素晴らしい時を過ごしました。

解説

〔質問１〕Where did you go during the summer?
　did you go に対して、goの過去形（went）を用いて答える。

〔質問２〕What did you do there?
　〔質問１〕で答えた場所でしたことを、動詞の過去形を用いて答えればよい。

〔仕上げ〕つなぐ・付け足す
　〔質問1〕には、誰と行ったかの他、交通手段、滞在期間などを付け足すことが考えられる。
　（例）We stayed there for two days.「２日間、そこに滞在しました。」
　〔質問2〕には、訪れた場所・買った物の説明、全体の感想を付け足すことが考えられる。
　（例）It was so cute.「とてもかわいかったです。」

重要度 A

Eメール

●あなたは、外国人の友達（Olivia）から以下のEメールを受け取りました。Eメールを読み、それに対する返信メールを、[　　]に英文で書きなさい。

●あなたが書く返信メールの中で、友達（Olivia）からの２つの質問（下線部）に対応する内容を、あなた自身で自由に考えて答えなさい。

●あなたが書く返信メールの中で[　　]に書く英文の語数の目安は15～25語です。

●解答が友達（Olivia）のEメールに対応していないと判断された場合は、<u>０点と採点されることがあります</u>。友達（Olivia）のEメールの内容をよく読んでから答えてください。

●[　　]の下のSee you soon, の後にあなたの名前を書く必要はありません。

Hi,

Thank you for your e-mail.
You wrote about the new coffee shop.
Yes, I want to go there, too. Let's go together!
<u>Where shall we meet?</u> <u>What time should I be there?</u>

Love,
Olivia

Hi, Olivia!

I'm glad we can go to the coffee shop together.

[解答欄に記入しなさい。]

See you soon,

問題文訳

> こんにちは。
> メールをありがとう。
> 新しいコーヒーショップについて書いていましたね。
> はい、私もそこに行ってみたいです。一緒に行きましょう！
> どこで待ち合わせましょうか？ 何時にそこにいればいいですか？
> 愛をこめて
> オリビア

> こんにちは、オリビア！
> 一緒にコーヒーショップに行けてうれしいです。
> 解答欄に記入しなさい。
> ではまた

文章構成

① 一つ目の質問に答える
(例) Let's meet in front of the station.「駅の前で会いましょう。」

② 二つ目の質問に答える
(例) Can you be there at 3:00?「3時にそこにいてもらえますか？」

③ つなぐ・付け足す
(例) I'm looking forward to seeing you there.
「そこであなたに会うのを楽しみにしています。」

解答例

Let's meet in front of the station. Can you be there at three?
I'm looking forward to seeing you there. (20語)

解答例訳 駅の前で会いましょう。3時にそこにいてもらえますか？　そこであなたに会うのを楽しみにしています。

解説

〔質問1〕Where shall we meet?
"shall we ～?" には、"Let's ～" を用いると、自然な応答ができる。

〔質問2〕What time should I be there?
"You should ～"「～した方がよい」と答えると流れが不自然になるので注意。Please be there at 3:00.「3時にそこにいてください。」と書くこともできる。

〔仕上げ〕つなぐ・付け足す
解答例の他、具体的に何をしたいかを伝えることもできる。
(例) I want to eat chocolate ice cream there.
「そこでチョコレートアイスを食べたいな。」

重要度 A

Eメール

- あなたは、外国人の友達（Henry）から以下のEメールを受け取りました。Eメールを読み、それに対する返信メールを、□に英文で書きなさい。
- あなたが書く返信メールの中で、友達（Henry）からの２つの質問（下線部）に対応する内容を、あなた自身で自由に考えて答えなさい。
- あなたが書く返信メールの中で□に書く英文の語数の目安は15～25語です。
- 解答が友達（Henry）のEメールに対応していないと判断された場合は、０点と採点されることがあります。友達（Henry）のEメールの内容をよく読んでから答えてください。
- □の下のAll the best, の後にあなたの名前を書く必要はありません。

Hi,

I just received your e-mail.
Thanks for telling me about your school.
So you are in the music club. I like music, too.
How many members are there in the club? When do you practice?

Wishing you the best,
Henry

Hi, Henry!

Thanks for your quick reply.

解答欄に記入しなさい。

All the best,

問題文訳

> こんにちは。
> ちょうど、君のメールを受け取ったところです。
> 学校について教えてくれてありがとう。
> それで、音楽クラブに入っているのですね。ぼくも音楽が好きです。
> クラブには何人のメンバーがいるのですか？　練習はいつするのですか？
> 幸運を祈って
> ヘンリー

> こんにちは、ヘンリー！
> 素早い返信をありがとう。
> 解答欄に記入しなさい。
> 最高の幸運を

文章構成

① 一つ目の質問に答える
（例）There are twenty members in the club.
「クラブには20人のメンバーがいます。」

② 二つ目の質問に答える
（例）We practice after school on Tuesdays and Thursdays.
「火曜日と木曜日の放課後に練習します。」

③ つなぐ・付け足す
（例）具体的な内容：I play the drums.「私はドラムを演奏します。」
気持ち：It's difficult, but fun.「難しいけれど、楽しいです。」

解答例

There are twenty members in the club. We practice after school on Tuesdays and Thursdays. I play the drums. It's difficult, but fun.（23語）

解答例訳 クラブには20人のメンバーがいます。私たちは火曜日と木曜日の放課後に練習します。私はドラムを演奏します。難しいけれど、楽しいです。

解説

〔質問１〕How many members are there in the club?
"are there ～?"「いますか（ありますか）」には、"There are ～" と答えればよい。

〔質問２〕When do you practice?
We practice on Saturdays.「土曜日に練習します。」など、曜日や時間帯を答える。

〔仕上げ〕つなぐ・付け足す
次のように、練習する場所を付け足してもよい。
（例）We practice in the music room.「音楽室で練習します。」

対策ポイント 英作文（意見論述）

試験ではリスニング、リーディング、ライティングの問題数に関係なく、各技能にスコアを均等に配分しています。そのため、1問の配点が大きいライティングをどう攻略するかが、英検合格のカギになります。
語数の目安は25～35語、解答時間の目安は15分です。じっくりと時間をかけて、ミスがないようにしましょう。

攻略方法

Point 1
採点の観点をおさえよう

❶内容：課題で求められている内容が含まれているか

自分の意見と、その理由二つを明確にしましょう。逆の意見を支持する立場などは書かないようにし、一つの意見に絞って書くことが大切です。
また、説得力のある理由を書くことも大切です。例えば、「英語は好きですか？」という質問に答える場合、単純に「好きです」と書くのではなく、「英語を勉強すると外国の人と友達になれるから」のように、具体的な例を挙げましょう。

❷構成：英文の構成や流れがわかりやすく、論理的か

3級では単語数が限られます。意見や理由と関係のない情報は書かないようにしましょう。接続詞などを使って全体の構成を示すと効果的です。複雑な内容は一つの文に詰め込まずに二文に分けると、わかりやすくなります。

❸語彙：課題にふさわしい語彙を、正しく使えているか

単語の綴りや意味が正しいか確認しましょう。また英語以外の言葉を使うときは説明を添え、単語がわからないときは、言いかえます。
「北海道は観光地が多い」と書きたいのに、sightseeing spot「観光地」という単語がわからないときは、There are many places to see in Hokkaido. と、「観光地」を「見るべき所」のように言いかえてみればよいのです。

❹文法：文法的に正しい英文が書けているか

文法的に正しい英文を使用して、自分の考えとその理由を効果的に伝えるようにしましょう。

Point 2

定型文を覚えて自分流にカスタマイズしてみよう

主張を述べるときはよく I think that ～.「～と思う」や I do not think that ～.「～とは思わない」が使われるように、英語では、意見の書き方に型があります。

基本例文を覚えて、自分流にアレンジするとよいでしょう。

Point 3

書きやすい立場で書こう

内容を考えすぎると、肝心の英文を書く時間が少なくなってしまいます。最初の結論を書き出す前に、まずは二つ理由が書けるかどうかを考えましょう。

あらかじめ頻出テーマをおさえて、いくつか理由を用意しておくと、スムーズに書き進められます。

頻出テーマ

1 いくつかの選択肢から好きなものを聞く質問

2 ある事柄について意見を聞く質問

3 行きたい場所について聞く質問

Point 4

自信をもって書ける単語や文法を使おう

複雑で難しい単語や文法を用いる必要はありません。簡単なものでいいので、時制は正しいか、名詞の単数・複数形、不定冠詞や定冠詞を忘れていないかなどに注意して、正しい文を書くことを心がけましょう。

対策ポイント 英作文（意見論述）

基本の解答の書き方を覚えよう！

●あなたは、外国人の友達から以下のQUESTIONをされました。
●QUESTIONについて、あなたの考えとその理由を二つ英文で書きなさい。
●語数の目安は25 ～ 35語です。

QUESTION
Which do you like better, staying at home or staying outside?

解答例

I like staying at home better. I have two reasons.
結論
First, I can enjoy watching videos in my room.
理由①
Second, it is fun to make cakes with my sister at home.
理由②

［31語］

質問例訳

家にいるのと外にいるのとでは、どちらが好きですか？

解答例訳

私は、家にいる方が好きです。 理由は二つあります。一つ目は、自分の部屋で、ビデオを見ることを楽しめるからです。 二つ目は、家で姉（妹）と一緒にケーキを作るのが楽しいからです。

Point 1
文章の構成は「結論」→「理由①」→「理由②」とする

日本語の文章では最初に理由を述べて、最後に「だから～です」とまとめることが多いのですが、英語の文章では先に結論を述べて、後に理由を付け加えます。

いくつか理由を考え、その中から表現しやすいものを二つ選んで書きましょう。

【結論】I like staying at home better.
「私は、家にいる方が好きです」

【理由①】First, I can enjoy watching videos in my room.
「一つ目は、自分の部屋で、ビデオを見ることを楽しめるからです」

【理由②】Second, it is fun to make cakes with my sister.
「二つ目は、家で姉（妹）と一緒にケーキを作るのが楽しいからです」

Point 2
理由は四つの視点で考えてみよう

「理由」を考える際は、次の四つの視点から考えてみるとアイディアが浮かびやすくなります。

❶五感（視覚、聴覚、嗅覚、味覚、触覚）
The trees look beautiful in spring.「春には木々が美しく見える」
Coffee smells good.「コーヒーはよい香りがする」

❷そこに「ある」もの、それが「持っている」もの、そのものの「性質」
There are many hot springs in Oita.「大分には多くの温泉がある」
Nagano has beautiful mountains.「長野には美しい山々がある」

❸そのものの「能力」、そこで「できる」こと
Dogs can run fast.「犬は速く走ることができる」
You can enjoy diving in Okinawa.「沖縄ではダイビングを楽しむことができる」

❹義務・必要
You do not need to get up early on Sundays.「日曜日には早起きしなくてもよい」

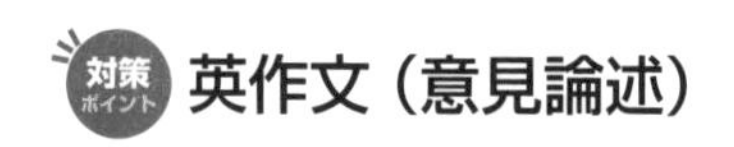

英作文（意見論述）

基本表現を覚えよう！

■好みや希望などを述べる表現

「～することが好きだ」like (love) -ing ／ like (love) to ～

I like playing outside better.
「外で遊ぶ方が好きです」

My parents love to eat my cookies.
「私の両親は私が作ったクッキーを食べるのが大好きです」

「～するよりも…することが好きだ」like ... better than ～

I like reading novels better than reading newspapers.
「私は新聞を読むよりも小説を読む方が好きです」

「～が好きではない」do not like ～

I do not like spicy curry.
「私はからいカレーが好きではありません」

「～に興味がある」be interested in ～

I am interested in Italian food.
「私はイタリア料理に興味がある」

「将来～したい」want to ～ in the future

I want to study in France in the future.
「私は将来、フランスに留学したいと考えています」

「～できる」can

We can go to the park and have fun.
「公園に行って楽しむことができます」

■「考え」に対する「理由」を述べる表現

「なぜなら～」because ～

I like koalas because they are cute.
「コアラが好きです。なぜならかわいいからです」

■複数の理由などをつなぐ表現

「理由は～つある」I have ～ reasons.

I have two reasons.
「理由は二つあります」

「第一に、～」First, ～

First, the air is clean in the country.
「まず、いなかでは空気がきれいです」

「第二に、～」Second, ～

Second, you can enjoy swimming in the river in summer.
「二つ目に、夏には川で泳ぐことが楽しめます」

「それに、また、」Also, ～

Also, you can eat fresh fish and vegetables.
「また、新鮮な魚や野菜を食べることができます」

■具体例を挙げる表現

「例えば、～」For example, ～

For example, in the fall, you can eat delicious apples.
「例えば、秋にはおいしいリンゴを食べることができます」

■状態などを表す表現

「～には、…がある」There is ... (in) ～／There are ... (in) ～

There are a lot of old temples in Kyoto.
「京都にはたくさんの古いお寺があります」

「～に見える」looks／「～の味がする」taste／「～の感じがする」feel

The stars look beautiful in winter.
「冬には星が美しく見える」

■頻度を表す表現

「よく～する」often ～

I often go shopping on weekends.
「週末にはよく買い物に行きます」

「ときどき～する」sometimes ～

I sometimes go to the movies with my friends.
「ときには友達と映画に行くこともあります」

■比較の表現

「～より…だ」-er than ...

The days are longer in summer than in winter.
「冬より夏の方が昼は長い」

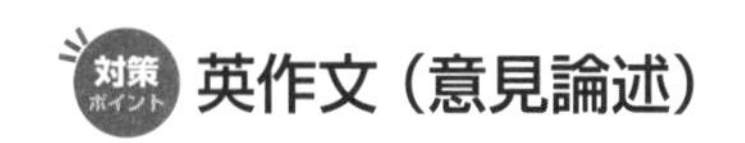

頻出テーマを確認しよう！

テーマ①

いくつかの選択肢から好きなものを聞く質問

Which ～ ?などの形で好きなものを問われます。家族、スポーツ、友達、趣味など身近な話題が中心で答えやすい質問です。しっかりと理由付けができるかどうかが重要になります。

QUESTION
Which do you like better, making phone calls or sending e-mails?

解答例

I like sending e-mails better. I have two reasons. First, I can spend time to think about what to write. Second, I can send e-mails anytime I like, even at midnight.

［31語］

質問例訳

電話をするのと電子メールを送るのではどちらが好きですか？

解答例訳

私は電子メールを送る方が好きです。理由は二つあります。
一つ目は、時間をかけて何を書くか考えることができることです。二つ目は、電子メールは好きなときに、たとえ深夜でも送ることができることです。

その他の出題例

Which do you like better, playing soccer or playing baseball?
サッカーをすることと野球をすることのどちらが好きですか？
Which do you drink more often, tea or juice?
お茶とジュースのどちらをよく飲みますか？
What month of the year do you like the best?
1年のうち、何月が一番好きですか？

Point
具体的に書く

理由は自分の経験や習慣を思い浮かべて、なるべく具体的に書きましょう。～できるから、将来～したいから、友達と～するのが楽しいからなどの納得させられる理由を書きます。

この出題形式で使える文の例

I want to be a soccer player in the future.「将来はサッカー選手になりたい」
Tea is healthier than juice.「お茶の方がジュースより健康によい」
Cherry blossoms look beautiful.「桜の花がきれいに見える」

部活、インターネット、早起き、読書、習い事、ペットの飼育、旅行、おやつなどについての質問もよく出題されます。自分の実体験を英語で書けるよう準備しておきましょう。

覚えておきたい単語

always 常に
best 最もよく
better よりよく
culture 文化
foreign 外国の
funny おもしろい、おかしい
history 歴史
learn 学ぶ
more もっと～
parent 親
relax くつろぐ
stay 滞在する
talk 話す
video game テレビゲーム
weather 天気
which どちら

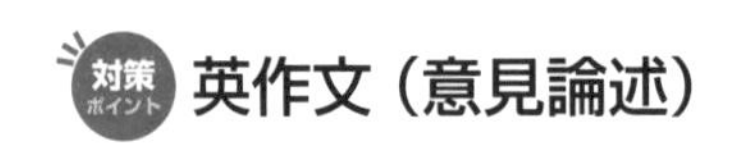

テーマ❷
ある事柄について意見を聞く質問

Do you want to ～？や Do you often ～？などの形で、ある事柄について、してみたいか、よくするのかなどが問われます。日常生活、趣味、進路、家族などのテーマの出題が予想されます。

QUESTION
Do you want to live abroad in the future?

解答例

Yes, I want to live in Italy in the future. I have two reasons. First, I want to meet my Italian friends. Also, I am very interested in Italian art.

［30語］

質問例訳

将来、海外に住みたいですか？

解答例訳

はい、将来はイタリアに住みたいと思っています。理由が二つあります。まず、イタリア人の友達に会いたいです。また、イタリアの芸術にもとても興味があります。

その他の出題例

Do you like cleaning for your room?
部屋を掃除をするのは好きですか？

Do you often use a computer in your free time?
空き時間にコンピューターを使うことが多いですか？

Point

メリットやデメリットを具体的に

Yesと答えるなら、それが自分の好みや将来の希望とどのように一致しているのかをわかりやすく書きます。Noと答えるなら、それをすることのデメリットや、自分の好みと合わない点などを理由にするとよいでしょう。

この出題形式で使える文の例

I want to study English in the United States in the future.
「将来、アメリカで英語を学びたい」

It feels good to see a clean room.「きれいな部屋を見ると気持ちがよい」

I am interested in the history of Italy.「イタリアの歴史に興味がある」

自由時間の過ごし方、休暇などに行きたい所やしたいこと、将来してみたいことなどについてよく出題されています。「AとBではどちらの方がよいか」という形で意見を問うこともあります。

覚えておきたい単語

abroad 海外へ
beautiful 美しい
busy 忙しい
family 家族
free time 自由な時間
friend 友人
future 未来
love 好む、大好きだ
nature 自然
ride 乗る
weekend 週末
when ～するとき

対策ポイント 英作文（意見論述）

テーマ③ 行きたい場所について聞く質問

どこに行きたいかが問われます。場所を答えた後、その場所に行きたい理由、そこでやりたいことなどを書きましょう。

QUESTION
Where do you want to go during your winter vacation?

解答例

I want to visit my grandparents in Sapporo. I live in Kyoto, so I can only see them during vacations. When I visit them, we can go skiing and have fun together.

［32語］

質問例訳

冬休みにはどこに行きたいですか？

解答例訳

札幌にいる祖父母に会いに行きたいです。私は京都に住んでいるので、休暇のときにしか会えません。祖父母に会うときは、スキーに行ったりして一緒に楽しみます。

その他の出題例

What country do you want to visit?
どの国を訪れてみたいですか？

What city do you want to visit during your summer vacation?
夏休みにはどの街を訪れてみたいですか？

Point
土地の特徴に関連づけて答える

その場所ならではの特徴に関連づけて理由を書くとよいでしょう。

(例)

自然…「美しい山々がある」「〇〇山が有名」
名物…「おいしい食べ物がたくさんある」「〇〇を食べてみたい」
行事…「〇〇祭りを見てみたい」
活動…「ハイキングが楽しめる」「〇〇寺を訪れたい」

この出題形式で使える文の例

There are beautiful mountains there.「そこには美しい山々がある」
There are many delicious foods there.「そこにはおいしい食べ物がたくさんある」
I want to eat *okonomiyaki*.「お好み焼きを食べてみたい」
I want to see the Snow Festival.「雪祭りを見てみたい」
We can swim in the beautiful sea.「美しい海で泳げる」
We can walk around the beautiful city.「美しい街を歩くことができる」

観光地として人気が高い、京都、東京、ローマなどは他とは違う特徴があるので、あらかじめ理由とともに書く内容を用意しておくと書きやすいでしょう。

覚えておきたい単語

beach 浜	fun 楽しい
city 都市	grandparents 祖父母
delicious おいしい	snow 雪
enjoy 楽しむ	summer vacation 夏休み
famous 有名な	visit 訪問する
festival 祭り	where どこに

英作文（意見論述）

●あなたは、外国人の友達から以下のQUESTIONをされました。
●QUESTIONについて、あなたの考えとその理由を２つ英文で書きなさい。
●語数の目安は25 ～ 35語です。

QUESTION
What is your favorite place?

質問訳 ※実際の試験に和訳はありません。
あなたのお気に入りの場所はどこですか？

文章構成

① 結論を述べる
（例）My favorite place is Kyoto.
「私のお気に入りの場所は京都です」

② 一つ目の理由を述べる
（例）I like Kyoto very much because there are a lot of old temples there.
「京都には古いお寺がたくさんあるので大好きです」

③ 二つ目の理由を述べる
（例）Also, the foods in Kyoto are delicious.
「また、京都の食べ物はおいしいです」

解答例
My favorite place is Kyoto. I like Kyoto very much because there are a lot of old temples there. Some of those temples have beautiful gardens. Also, the foods in Kyoto are delicious.（33語）

解答例訳 私のお気に入りの場所は京都です。京都には古いお寺がたくさんあるので大好きです。それらのお寺の中には美しい庭園があるものもあります。また、京都の食べ物はおいしいです。

解説 場所について好きな理由を述べる場合、次のような表現を使うと答えやすい。

●because there is (are) ～／because it has ～「（そこに）～があるから」
（例） because there are old temples there「そこに古いお寺があるから」
because there is a famous park there「そこに有名な公園があるから」

●because we can ～「（そこで）～できるから」
（例） because we can see the beautiful sea「美しい海が見られるから」
because we can enjoy skiing there「そこでスキーを楽しめるから」

「図書館」「駅」など、一般的な場所を選んだ場合は、a、the などの冠詞を付け忘れないようにすること。「自分の部屋」なら、my roomのように書けばよい。

複雑な内容は無理に一つの文に詰め込まずに、I like libraries because there are a lot of books there. I like reading books. のように２文に分けて理由を述べるとよい。

やってみよう

1. QUESTION: What is your favorite sport?〔お気に入りのスポーツ〕
【解答例】My favorite sport is table tennis. I like table tennis (the) best because it is exciting. Also, it is easy to play table tennis. Even a small child can enjoy it.
「お気に入りのスポーツは卓球です。卓球は楽しいから一番好きです。また、卓球をするのは簡単です。小さい子どもでも楽しめます」

2. QUESTION: What is your favorite month?〔お気に入りの月〕
【解答例】My favorite month is December. I like December (the) best because Christmas is in December. We can see beautiful decorations in town. Also, my birthday is in December.
「お気に入りの月は12月です。12月はクリスマスがあるので一番好きです。町では美しいデコレーションを見られます。また、12月には私の誕生日があるのです」

重要度 A 英作文（意見論述）

●あなたは、外国人の友達から以下のQUESTIONをされました。
●QUESTIONについて、あなたの考えとその理由を２つ英文で書きなさい。
●語数の目安は25 ～ 35語です。

<u>QUESTION</u>
What kind of food do you like?

質問訳 ※実際の試験に和訳はありません。
どんな種類の食べ物が好きですか？

文章構成

① 結論を述べる
（例） I like Italian food.
「イタリア料理が好きです」

② 一つ目の理由を述べる
（例） This is because it is really tasty.
「それは、本当においしいからです」

③ 二つ目の理由を述べる
（例） Also, it is easy and fun for me to make it.
「また、作るのが簡単で、楽しいです」

解答例

I like Italian food. This is because it is really tasty. For example, pizza and pasta are delicious. Also, it is easy and fun for me to make it. (29語)

(解答例訳) 私はイタリア料理が好きです。それは、本当においしいからです。例えばピザとパスタがとてもおいしいです。また、作るのが簡単で、楽しいです。

(解説) What kind of ～ は「どんな種類の～」という表現。問題文では食べ物の種類を聞かれているので、ジャンルを答えればよい。

What food do you like?「どんな食べ物が好きですか」と似ているが、こちらは「ピザ」、「寿司」など具体的な料理を答える。

食べ物について好きな理由を述べる場合は、次の表現を使うと答えやすい。

●This is because it is ～「それは～だから」

(例) I like Indian food. This is because it is spicy.
「インド料理が好きです。それは、ピリッとしているからです」

また、食べ物が好きな理由として、次のような表現も知っているとよい。

good for health「健康によい」、colorful「色彩に富んでいる」、beautiful「美しい」。

(例) I always eat a fresh green salad. It is good for health.
「私はいつも新鮮な野菜のサラダを食べます。それは健康によいです」

(やってみよう)

1. QUESTION: What kind of music do you like? 〔好きな音楽のジャンル〕

【解答例】I like rock music very much because it is very exciting. I feel good when I listen to it. Also, the words are strong and give us power.

「とてもわくわくするので、私はロック音楽がとても好きです。それを聞くと、気分がよくなります。また、歌詞が力強くて、私たちにパワーを与えてくれます」

2. QUESTION: What kind of book do you like? 〔好きな本のジャンル〕

【解答例】I like comic books. They always make me happy. They are not only fun, but also useful to learn many things. For example, we can learn how to make friends.

「私は漫画が好きです。いつも幸せな気持ちにしてくれます。おもしろいだけでなく、たくさんのことを学ぶのに役に立ちます。例えば、友達の作り方を学べます」

重要度 A

英作文（意見論述）

●あなたは、外国人の友達から以下のQUESTIONをされました。
●QUESTIONについて、あなたの考えとその理由を２つ英文で書きなさい。
●語数の目安は25 ～ 35語です。

QUESTION
Where do you want to go during your winter vacation?

質問訳 ※実際の試験に和訳はありません。
冬休みの間、どこに行きたいですか？

文章構成

① 結論を述べる
（例）I want to go to Hokkaido.
「私は北海道に行きたいです」

② 一つ目の理由を述べる
（例）First, it has beautiful nature.
「まず、そこには美しい自然があります」

③ 二つ目の理由を述べる
（例）Second, we can enjoy skiing there.
「二つ目に、そこでスキーを楽しむことができます」

解答例

I want to go to Hokkaido. I have two reasons. First, it has beautiful nature. We can see some wild animals in the forests. Second, we can enjoy skiing there. I love skiing.（33語）

解答例訳 私は北海道に行きたいです。理由は二つあります。まず、そこには美しい自然があります。森の中で野生動物を見ることができます。二つ目に、そこではスキーを楽しむことができます。私はスキーが大好きなのです。

解説 Where「どこに」を使った疑問文に対する答え方を確認する。

問題文では冬休みの間、どこに行きたいかを問われているので、to Hokkaido「北海道に」と場所を提示する。その場所の魅力を説明する際には、P117の表現を応用することができる。

（例）I want to go to Spain because I like Spanish food.
「スペイン料理が好きなので、スペインに行きたいです」

（例）I like the sea, so I want to go swimming in Australia.
「海が好きなので、オーストラリアに泳ぎに行きたいです」

やってみよう

1. QUESTION: Where do you want to go this summer?〔夏の予定〕

【解答例】I want to go to Tokyo. I have two reasons. First, there are many famous shops in Tokyo. I want to enjoy shopping. Second, it has good museums. I want to visit a science museum.

「私は東京に行きたいです。理由は二つあります。まず、東京にはたくさんの有名な店があります。私はショッピングを楽しみたいです。二つ目に、そこにはよい博物館があります。私は科学博物館を訪れたいです」

2. QUESTION: Where do you want to go this weekend?〔週末の予定〕

【解答例】I want to go to the aquarium because I am interested in tropical fish. They are really beautiful. Also, in the aquarium, we can watch a dolphin show. I love dolphins. They are very cute.

「私は熱帯魚に興味があるので、水族館に行きたいです。熱帯魚は本当に美しいです。それに、水族館ではイルカショーを見ることができます。イルカは大好きです。とてもかわいいです」

重要度A 英作文（意見論述）

●あなたは、外国人の友達から以下のQUESTIONをされました。
●QUESTIONについて、あなたの考えとその理由を２つ英文で書きなさい。
●語数の目安は25 ～ 35語です。

QUESTION
Which do you like better, summer or winter?

質問訳 ※実際の試験に和訳はありません。
夏と冬ではどちらの方が好きですか？

文章構成

① 結論を述べる
（例） I like summer better than winter.
「私は冬よりも夏の方が好きです」

② 一つ目の理由を述べる
（例） First, the days are longer in summer, so we can enjoy many things during the day.
「まず、夏の方が昼が長いので、昼間に多くのことを楽しめます」

③ 二つ目の理由を述べる
（例） Also, we can enjoy watching fireworks in summer.
「また、夏には花火を見て楽しめます」

解答例

I like summer better than winter. There are two reasons. First, the days are longer in summer, so we can enjoy many things during the day. Also, we can enjoy watching fireworks in summer. (34語)

(解答例訳) 私は冬よりも夏の方が好きです。それには二つの理由があります。まず、夏の方が昼が長いので、昼間に多くのことを楽しめます。また、夏には花火を見て楽しめます。

(解説) 「AとBではどちらの方が好きか」と聞かれたときは、I like A better than B.「BよりもAの方が好き」と答える。二つを比較した結果「～の方が好き」と言いたいときには、I like summer better because we can enjoy swimming in summer. のように、like ～ betterという表現を使う。

また、理由を述べるときも比較表現が活用できる。

(例) The summer vacation is longer than the winter vacation.
「冬休みよりも夏休みの方が長い」

季節について好きな理由を述べる場合は、次のような表現を使うと答えやすい。

●because there is (are) ～／because we have ～「(その季節に) ～があるから」
(例) because there are a lot of festivals「たくさんのお祭りがあるから」
because we have Christmas「クリスマスがあるから」

●because we can ～「(その季節に) ～ができるから」
(例) because we can enjoy swimming「水泳が楽しめるから」

(やってみよう)

1. QUESTION: Which do you like better, mountains or the sea?〔山と海〕

【解答例】I like mountains better than the sea. I have two reasons. First, I like walking in nature. It is good for our health. Also, we can enjoy watching trees and flowers there.

「海よりも山の方が好きです。理由は二つあります。まず、私は自然の中を歩くのが好きです。それは私たちの健康によいです。また、そこでは木や花を見て楽しめます」

2. QUESTION: Which do you like better, department stores or convenience stores?〔デパートとコンビニ〕

【解答例】I like department stores better than convenience stores. First, it is because they are bigger than convenience stores. Also, we can buy clothes in department stores. They are not sold in convenience stores.

「コンビニよりもデパートの方が好きです。まず、それはコンビニよりも大きいので好きです。また、デパートでは服を買えます。それはコンビニでは売っていません」

英作文（意見論述）

●あなたは、外国人の友達から以下のQUESTIONをされました。

●QUESTIONについて、あなたの考えとその理由を２つ英文で書きなさい。

●語数の目安は25 ～ 35語です。

QUESTION

What would you like to learn?

質問訳 ※実際の試験に和訳はありません。

何を習ってみたいですか？

文章構成

① 結論を述べる

（例） I would like to learn the piano.

「私はピアノを習ってみたいです」

② 一つ目の理由を述べる

（例） I like piano music.

「ピアノ音楽が好きです」

③ 二つ目の理由を述べる

（例） Also, I think I can make people happy if I can play the piano very well.

「また、ピアノをとても上手に弾ければ人々を幸せにできると思うのです」

解答例

I would like to learn the piano because I like piano music. I especially like Chopin. Also, I think I can make people happy if I can play the piano very well.（32語）

解答例訳 私はピアノの音楽が好きなので、ピアノを習ってみたいです。特にショパンが好きです。また、ピアノをとても上手に弾ければ人々を幸せにできると思うのです。

解説 would like to ～ は「～したい」という控えめな表現。同じ意味でWhat do you want to learn? のように聞かれた場合は、I want to learn the piano. のように答えればよい。

解答例のように、最初の文で結論と一つ目の理由を合わせて述べることもできる。「結論（ピアノを習いたい）→ because → 理由（ピアノ音楽が好きだ）」という語順になるので間違えないようにすること。

習いたい理由を述べる場合は、次のような表現を使うと答えやすい。

●because I like ～「～が好きだから」

●because I want to ～／because I would like to ～「～したいから」

●because if I can ～(well), I will be able to ...「～が（上手に）できれば…できるから」

（例）Because if I can play table tennis well, I will be able to make friends with other table tennis players.

「卓球が上手にできたら、ほかの卓球選手たちと友達になれるから」

What sport would you like to learn?「何のスポーツを習ってみたいですか？」のように聞かれた場合は、The sport I would like to learn is table tennis. のように答えられる。質問をよく読み、語順に注意すること。

やってみよう

1. QUESTION: What would you like to be in the future?〔将来なりたいもの〕

【解答例】 I would like to be a police officer because I want to help people in trouble. Also, I would like to drive a police car. I think it is very cool.

「私は困っている人々を助けたいので、警察官になりたいです。また、パトカーも運転してみたいです。それはとてもかっこいいと思います」

2. QUESTION: What country would you like to visit?〔行ってみたい国〕

【解答例】 I would like to visit Australia because it is a beautiful country. For example, the sea is very beautiful. Also, the people in Australia speak English, so I can practice speaking English there.

「私はオーストラリアを訪れてみたいです。なぜならオーストラリアは美しい国だからです。例えば海がとても美しいです。また、オーストラリアの人々は英語を話すので、英語を話す練習もできます」

重要度B 英作文（意見論述）

●あなたは、外国人の友達から以下のQUESTIONをされました。
●QUESTIONについて、あなたの考えとその理由を２つ英文で書きなさい。
●語数の目安は25～35語です。

QUESTION
Is it good for children to play video games?

質問訳 ※実際の試験に和訳はありません。
ビデオゲームをするのは、子どもにとってよいことですか？

文章構成

① 結論を述べる
（例）In my opinion, it is not good for children.
「私の意見では、それは子どもにとってよいことではありません」

② 一つ目の理由を述べる
（例）This is because it is not good for their health.
「それは、彼らの健康によくないからです」

③ 二つ目の理由を述べる
（例）Also, some games have many violent scenes.
「また、ゲームの中には多くの暴力的な場面を持つものがあります」

解答例

In my opinion, it is not good for children. This is because it is not good for their health. Children should spend more time in playing outdoors. Also, some games have many violent scenes.（34語）

（解答例訳）私の意見では、それは子どもにとってよいことではありません。それは、彼らの健康によくないからです。子どもたちはもっと屋外で遊ぶことに時間を使うべきです。また、ゲームの中には多くの暴力的な場面を持つものがあります。

（解説）是か非かを問われる問題。Yes / Noではなく、自分の考えをIt is good ～ や It is not good ～ などと最初に述べよう。

I think ～「～と思う」、I believe ～「～と信じる」、in my opinion「私の意見では」などを使うと、答えやすい。

（例）I think that it is good to learn English.
「私は、英語を学ぶことはよいことだと思います」

（例）I believe that it is good for kids to help their parents.
「私は、子どもにとって親を手伝うことは、よいことだと信じています」

（やってみよう）

1. QUESTION: Is it good to do sports every day?〔毎日のスポーツ〕

【解答例】I think it is good to do sports every day. First, it is very good for our health. Also, we can make friends when we practice and play games together.

「毎日スポーツをするのはよいことだと思います。まず、健康にとてもいいです。また、一緒に練習したり、試合をしたりして、友達を作ることもできます」

2. QUESTION: Is it good to eat fast food?〔ファストフード〕

【解答例】I do not think it is good to eat fast food. I have two reasons. First, it is not good for our health. Also, fast food does not taste as good as homemade dishes.

「私は、ファストフードを食べることがよいとは思いません。理由は二つあります。まず、健康によくありません。また、ファストフードは手作りの料理ほどおいしくありません」

試験で注意！ 英作文（意見論述）のチェック項目

問題の前提条件

☑ 単語数は指定以内に収まっているか	語数の目安を確認しましょう。

英文法・単語

☑ 時制は一致しているか	現在形を使うか、過去形にするのか、それとも -ing 形などにするのか。しっかり見極めましょう。
☑ 同じ表現をくり返していないか	同じ内容を言いたいときも、表現を変えて書きましょう。
☑ 可算名詞と不可算名詞が区別されているか	不可算名詞（数えられない名詞）に複数形の s を付けていないか確認しましょう。 意味によっては、可算名詞にも不可算名詞にもなる単語もあるので、気をつけましょう。
☑ 主語と動詞は正しくつながっているか	「お寿司は手で食べられる」と言うとき、Sushi can eat ~ とすると、正しい英文になりません。We can eat sushi with our hands. のように表します。
☑ 三単現の s が抜けていないか	主語が三人称単数のとき、現在形の動詞に「三単現の s、es」が付いているか確認しましょう。
☑ 冠詞（a、an、the）の間違いや付け忘れはないか	I like cats. … 一般的にねこが好きなら、cat を複数形にします。 I like the cat. … 特定のねこが好きならこう書きます。
☑ 接続詞のつながりが適切か	because の後には理由、so の後には結論が入ります。逆になっていないか気をつけましょう。
☑ 大文字・小文字、符号（.,?）の間違いはないか	特に s や c など、大文字と小文字が同じ形をしている場合、大文字にすべき所ははっきり大文字とわかるように書きましょう。
☑ 単語のスペルが正しいか	スペルがあいまいな単語はできるだけ避けて自信のある別の単語に言いかえるようにしましょう。

文章の内容

☑ 理由付けが結論に対応しているか	結論とは逆の立場の意見や、理由を書かないように気をつけましょう。

第5章

リスニング問題

3rd Grade

音声アイコンのある問題は、音声を聞いて答える問題です。
音声はスマートフォンやパソコンでお聞きいただけます。
詳細は6ページをご参照ください。

対策ポイント

リスニング問題

リスニングは、第1部、第2部、第3部からなり、それぞれ10問ずつ出題されます。

① 第1部：会話の応答文選択問題。イラストを参考にしながら対話を聞き、その最後の文に対する最も適切な応答の文を選ぶ。
② 第2部：会話の内容一致選択問題。対話を聞いて、その質問に対して最も適切な答えを選ぶ。
③ 第3部：文の内容一致選択問題。英文を聞き、その質問に対して最も適切な答えを選ぶ。

第1部では対話と選択肢が1回ずつ、第2部、第3部では対話と質問が2回ずつ、それぞれ放送されます。

Point 1

第1部：話し手Aの2巡目のせりふに集中する

対話は、Aのせりふ① → Bのせりふ → Aのせりふ② と進みます。上手な聞き方は、まず Aのせりふ① → Bのせりふ のやりとりで、対話の話題をつかむ。次に Aのせりふ② に集中し応答を考える、という方法です。

A：（　①　）
B：（　　　）｝……→ ゆったりかまえて話題をつかむ
A：（　②　）……→ このせりふに集中！

最初の1往復でゆったりかまえて、話全体の流れをとらえます。次に Aのせりふ② では一語一句を逃さず聞き取るぐらいのつもりで「何をたずねているか」「何を言いたいのか」をつかみます。

Point 2

第1部：「誘う」表現がよく出る

Aのせりふ② はおもに「**たずねる表現**」と「**働きかける表現**」に分けられます。

「**たずねる表現**」では出だしの疑問詞に注意しましょう。When、What、How long などの疑問文がよく出題されます。

「**働きかける表現**」では「相手を誘う」「何かを頼む」「何かを申し出る」表現がよく出題されます。

また、「**レストランでの会話**」「**買い物の会話**」「**電話の会話**」もよく出題されます。それぞれの場面での決まり文句などを知っておくと有利です。

Point 3
第2部：1回目と2回目で聞き方を変えよう

第2部では、対話が2回放送されるので、それを上手に生かしましょう。

1回目：細かいことにこだわらず、対話全体の流れをつかむ
2回目：「質問に対する答え」に注意を集中させて聞き取る

対話全体を対象にして「何について話していますか」とたずねる問題もよく出題されます。上のような聞き方をすれば、こういった問題に対しても確実に答えられます。

ほかに「時を聞くもの（When)」「回数を聞くもの（How many times)」「今後の予定を聞くもの（What will ～、What ～ be going to)」「理由を聞くもの（Why)」などもよく出題されます。

Point 4
第3部：案内放送に慣れておこう

第3部の英文は2回放送され、聞き方のポイントは Point3 と同じです。

店内放送、駅や空港での放送、天気予報やニュースなど、公共の案内放送を内容とした問題もよく出題されます。それぞれに独特のスタイルがあるので、音声を聞いて慣れておきましょう。

Point 5
第2部・第3部：先に選択肢に目を通そう

第1部では選択肢も放送で流れますが、第2部と第3部では選択肢があらかじめ問題用紙に印刷されています。

一つの問題の答えを書いたら、次の問題の英文が流れる前に必ずその選択肢に目を通しておきましょう。選択肢を先に見ておけば「どんな内容の英文なのか」「何について質問されるか」を予想して聞けます。

例えば、次のような選択肢があったら何に注意して聞けばよいでしょう？

1 Once a week. **2** Twice a week. **3** Once a month. **4** Twice a month.

そうです。何かの「回数」に注意して聞けばよいですね。

第5章 リスニング問題

会話の応答文選択

イラストを参考にしながら対話と応答を聞き、最も適切な応答を **1**、**2**、**3** の中から一つ選びなさい。

No.1 3

No.2 4

No.3 5

No.4 6

Point

- A、Bの最初の１往復の対話で話題をつかもう。
- Aの２回目のせりふで「何を聞いているか」「何を言おうとしているか」を聞き取ろう。

No.5 7

No.6 8

No.7 9

No.8 10

No.9 11

No.10 12

No.11 13

No.12 14

頻出度 A 会話の応答文選択 解答・解説

No. 1 3

英文

Woman : Hello.
Man : Hello. This is Jack. May I speak to Betty, please?
Woman : Sorry, Jack. Betty is not at home now. I think she'll be back soon.

英文訳

女性：もしもし。
男性：もしもし。ジャックです。ベティとお話ししたいのですが。
女性：悪いわね、ジャック。ベティは今、家にいないのよ。もうすぐ帰ってくると思うんだけど。

選択肢

1 OK. I'll call back later.
2 OK. I'll take a message.
3 OK. You have the wrong number.

選択肢の訳

1 わかりました。後でまたかけます。
2 わかりました。伝言を受けておきます。
3 わかりました。間違い電話ですよ。

解説 本人がいないときに電話がかかってきた場面での対話。電話での英語表現として、次のような基本的な表現も知っておきたい。Hello.「もしもし」、This is ○○.「こちら○○です」、May I speak to ○○, please?「○○さんをお願いします」。

ANSWER 1

No. 2 4

英文

Woman : I'd like this tuna salad sandwich, please.
Waiter : OK. Anything to drink?
Woman : No, thanks.

英文訳

女性：ツナサラダサンドをお願いします。
ウエーター：かしこまりました。お飲み物はいかがですか？
女性：いいえ、けっこうです。

選択肢

1 All right. Here's our drink menu.
2 All right. Your food will be ready soon.
3 All right. This way, please.

選択肢の訳

1 かしこまりました。こちらがドリンクメニューです。
2 かしこまりました。お料理はすぐにお持ちします。
3 かしこまりました。どうぞこちらへ。

解説 No, thanks.と飲み物を断っている場面なので、**1**や**3**はウエーターの応答として適切でない。よって**2**が正解。食事の注文の基本的な表現として、次のような決まり文句も知っていると便利。May I take your order?「ご注文をうかがってもよろしいですか？」、I'd like ～.「～をいただきたいのですが」、Would you like ～?「～はいかがですか？」。

ANSWER 2

No.3 5

英文

Boy：I'm going to go to a movie with my classmates this weekend.
Girl：That's great.
Boy：Do you want to go with us?

英文訳

男の子：今度の週末にクラスメートと映画に行くんだ。
女の子：いいなあ。
男の子：一緒に行きたい？

選択肢

1 Yes, I went to a movie.
2 Yes, you will.
3 Yes, I'd like that.

選択肢の訳

1 うん、私は映画に行ったよ。
2 はい、君はそうします。
3 うん、ぜひ。

解説 誘われたときにその誘いを受ける場面で、よく出題される。ここではDo you want to ～？「～したい？」が誘いの表現。**3**のI'd like ～は「I want ～」の丁寧な表現。誘いを受ける表現にはほかに、Yes, I'd love to.「はい、ぜひ」、Sounds great.「それは楽しそうだ」などがある。

ANSWER **3**

No.4 6

英文

Girl：How was your weekend?
Boy：Great! I went cycling with Chris. We're going again this Saturday.
Girl：Sounds like fun!

英文訳

女の子：週末はどうだった？
男の子：最高だったよ！ クリスとサイクリングしたんだ。この土曜にまた行く予定なんだよ。
女の子：楽しそうね！

選択肢

1 Let's go together.
2 Have a good time!
3 No, it's not funny.

選択肢の訳

1 一緒に行こうよ。
2 いい時間を過ごしてね！
3 いや、おもしろくなんかないよ。

解説 週末にサイクリングをしてよかったこと、次の土曜にも行く予定であることを聞いて、「楽しそうね！」と言っている。よって、「一緒に行こう」と誘っている**1**が最も自然な応答と言える。

No.5 7

英 文

Girl：So, what did you do with Jane?

Boy：We went to see “Spider Girl”.

Girl：Really? I want to see it, too.

英文訳

女の子：それで、ジェーンとは何をしたの？

男の子：『スパイダー・ガール』を見に行ったんだ。

女の子：本当に？　私も見たいなあ。

選択肢

1 It was really good.
2 No, not yet.
3 Me, too.

選択肢の訳

1 とてもよかったよ。
2 いや、まだなんだ。
3 ぼくもだよ。

解説 ジェーンと見た映画を「私も見たい」と言っている流れなので、**1**が正解。not yetは「まだ～ない」と否定する表現。

No.6 8

英 文

Girl：Hello?

Boy：Hi, this is Andy. I'm calling from my friend's house.

Girl：Andy! When did you arrive in Tokyo?

英文訳

女の子：もしもし？

男の子：やあ、アンディだよ。友だちの家から電話しているんだ。

女の子：あら、アンディ！　いつ東京に着いたの？

選択肢

1 I'm free all day today.
2 About three hours ago.
3 I've never been to Tokyo.

選択肢の訳

1 今日は一日あいてるよ。
2 3時間ほど前だよ。
3 東京には一度も行ったことがないよ。

解説 Whenは「いつ」と時をたずねる語。ここではWhen did you arrive in Tokyo?「いつ東京に着いたのか？」をたずねているので「時間」を答えている**2**が正解。

No.7 9

英 文

Woman：You're a really good guitar player!

Man：Thanks. I've been taking lessons, and I practice every day.

Woman：Where do you usually practice?

英文訳

女性：本当にギターが上手ね！

男性：ありがとう。レッスンに通っていて、毎日練習しているんだ。

女性：いつもどこで練習しているの？

選択肢

1 In my room.
2 In the morning.
3 For an hour.

選択肢の訳

1 自分の部屋だよ。
2 朝（午前中）だよ。
3 1時間だよ。

解説 Whereは「どこ」と場所をたずねる語。ここではWhere do you usually practice?「どこで練習しているのか？」をたずねているので、「場所」を答えている**1**が正解。**2**が正解となるにはWhen「いつ」、**3**が正解となるにはHow long「どれくらいの長さ」でたずねる必要がある。

ANSWER 1

No.8 10

英 文

Girl：You look busy, Steve.

Boy：Yes. I'm going to take part in a talent show, and I have to prepare for it.

Girl：Great. When is the show?

英文訳

女の子：忙しそうね、スティーブ。

男の子：うん。タレントショーに出るんで、準備をしなくちゃいけないんだ。

女の子：すごい。ショーはいつ？

選択肢

1 At our school.
2 Next week.
3 I will sing and dance.

選択肢の訳

1 学校で。
2 来週。
3 歌と踊りをやるよ。

解説 Whenの質問には「時」を表す語句で答える。選択肢の中で「時」を答えているのは**2**だけである。talent showは、参加者がそれぞれの隠し芸などを見せる演芸会のようなもの。talent「才能」、look ～「～のように見える」、be going to ～「～する予定である」、take part in ～「～に参加する」、have to ～「～しなければならない」、prepare「準備する」。

ANSWER 2

No.9 11

英文

Man：Excuse me. Does this train go to Dream Park?

Woman：Yes. Get off the train at Dreamland Station.

Man：How long does it take?

英文訳

男性：すみません。この列車はドリームパークに行きますか？

女性：はい。ドリームランド駅で降りてください。

男性：どれくらい時間がかかりますか？

選択肢

1 300 yen.

2 About twenty minutes.

3 It leaves at 9:30.

選択肢の訳

1 300円です。

2 20分くらいです。

3 9時半に出発します。

解説 How long ～？は長さをたずねる表現。ものの長さをたずねることもあるが、時間の長さをたずねるのに使われることが多い。ここでもドリームランド駅に着くまでの時間をたずねている。**1**は値段を、**3**は出発時刻を答えているので当てはまらない。

ANSWER **2**

No.10 12

英文

Mother：Did you hear Uncle Steve is sick in bed?

Son：Yes, I'm worried about him.

Mother：Go visit him.

英文訳

母親：スティーブおじさんが病気で寝込んでいるって聞いた？

息子：うん、おじさんのことが心配だよ。

母親：会いに行きなさいよ。

選択肢

1 Thank you for coming.

2 Don't worry. I'm fine.

3 That's a good idea.

選択肢の訳

1 来てくれてありがとう。

2 心配いらない。ぼくは元気だよ。

3 それはいい考えだね。

解説 動詞の原形で文をはじめると、「～しなさい（～して）」という命令文となる。今回は病気のおじさんを訪問するよう促している内容なので、「それはいい考えだね」という**3**が正解。

ANSWER **3**

No. 11 13

英　文

Man：Excuse me. Is there a CD shop in this building?

Clerk：Yes. It's on the fifth floor.

Man：Thanks. Do they sell DVDs, too?

英文訳

男性：すみません。この建物にCDショップはありますか？

店員：はい。5階にございます。

男性：ありがとう。DVDも置いていますか？

選択肢

1 Yes, they do.

2 I have some DVDs.

3 They have a new DVD player.

選択肢の訳

1 はい、売っています。

2 私は何枚かDVDを持っています。

3 新しいDVDプレーヤーがあります。

解説 疑問詞（What、Whenなど）のない質問には普通Yes、Noで答える。ここでは「DVDも置いていますか？」とたずねている。基本に従ってYesで答えている**1**を選ぶ。

No. 12 14

英　文

Man：We have a three-day weekend.

Woman：Right. I can't wait! I'm going to visit Kyoto.

Man：Great. Have you been there before?

英文訳

男性：3連休があるね。

女性：その通り。待ちきれないわ！ 京都に行くことにしているの。

男性：いいね。前にも行ったことがあるの？

選択肢

1 No. This is my first trip there.

2 No. I'll never go there.

3 Yes. I've been here for three years.

選択肢の訳

1 いいえ。そこに旅行するのはこれがはじめて。

2 いいえ。決してそこには行かない。

3 はい。3年間ここにいます。

解説 Have you ～ before?「以前に～したことがありますか？」と、経験をたずねる質問。**2**はこれからのことを、**3**は期間を答えているので、いずれも当てはまらない。**1**が「はじめて」、つまり今までに行ったことがない、と答えている。

会話の応答文選択

イラストを参考にしながら対話と応答を聞き、最も適切な応答を **1**、**2**、**3** の中から一つ選びなさい。

No.2 17

No.3 18

No.5 20

No.6 21

No.7 22

No.8 23

No. 9 24

No. 10 25

No. 11 26

No. 12 27

No. 1 16

英文

Man : I'm looking for a blue sweater.

Clerk : How about this one, sir?

Man : Good. Can I try it on?

英文訳

男性：青いセーターを探しているんですが。

店員：こちらなどいかがでしょう？

男性：いいですね。試着してもいいですか？

選択肢

1 Sure. The fitting room is over there.
2 Sure. Here's your change.
3 Sure. It's 30 dollars.

選択肢の訳

1 もちろんです。試着室はあちらです。
2 もちろんです。おつりです。
3 もちろんです。30ドルです。

解説 洋服売場での客と店員の対話。買い物表現では、次の基本的なものを覚えておこう。I'm looking for ～「～を探している」、try ～ on「～を試着する」、Here's your change.「おつりです」。sirは男性に対して使う敬称。女性にはma'amと言う。

ANSWER 1

No. 2 17

英文

Boy : Oh, no. My pen is broken.

Girl : You can use this one. I have another one for myself.

Boy : Thanks a lot.

英文訳

男の子：あっ、いけない。ペンが壊れてる。

女の子：これを使っていいよ。私には別のがあるから。

男の子：どうもありがとう。

選択肢

1 I'm sorry.
2 May I help you?
3 No problem.

選択肢の訳

1 ごめんなさい。
2 いらっしゃいませ、何かご用は？
3 どういたしまして。

解説 No problem. は、お礼の応答に使う表現。Thanks a lot.「ありがとう」は、お礼を言うときのややくだけた表現。お礼に対する応答はYou're welcome.「どういたしまして」が定番表現だが、この問題のようにNo problem.やMy pleasure.（pleasure「喜び」）と言うこともある。

ANSWER 3

No.3 18

英文

Boy: This book is too long.
Girl: You mean you don't like it? I think it's interesting.
Boy: It's just boring.

英文訳

男の子：この本は長すぎるよ。
女の子：気に入らないってこと？ 私はおもしろいと思うけど。
男の子：退屈なだけだよ。

選択肢

1 Really? I don't think so.
2 It's too expensive.
3 I read the book yesterday.

選択肢の訳

1 本当？ 私はそうは思わないな。
2 値段が高すぎる。
3 その本、昨日読みました。

解説 相手の意見に同意しないときはI don't think so. と言えばよい。読んでいる本について「長くて退屈だ」と言う相手に対して、そんなことはない、と反論している。相手の意見に賛成ならI think so, too.「私もそう思う」。boring「退屈な」、expensive「高価な」。

ANSWER **1**

No.4 19

英文

Father: Oh, you are wearing the old watch again. Don't you use the new one?
Daughter: Well, I broke it.
Father: What? I bought it for you just last week!

英文訳

父親：あれ、また古い時計をはめているんだ。新しい時計は使わないのかい？
娘：うーん、あれ壊しちゃったの。
父親：何だって？ つい先週買ってあげたばかりなのに！

選択肢

1 Thank you.
2 I'm sorry.
3 That's very kind of you.

選択肢の訳

1 ありがとう。
2 ごめんなさい。
3 どうもご親切に。

解説 非難されて謝るときは I'm sorry.「ごめんなさい」と言う。時計を壊してしまった女の子が父親から「買ってあげたばかりなのに」と怒られている。こんなときに素直に謝る表現がこれ。brokeはbreak「壊す」、boughtはbuy「買う」の過去形。wearは「服などを着る」のほか、「時計などを身につける」意味でも使う。

ANSWER **2**

No.5 20

英 文

Daughter：I hate math!
Father：What's your problem?
Daughter：It's my homework. The questions are too difficult for me.

英文訳

娘：数学なんて大嫌い！
父親：いったいどうしたんだ？
娘：宿題よ。問題が私には難しすぎるの。

選択肢

1 Good. You finished it.
2 OK. I'll help you.
3 Great. Can you help me?

選択肢の訳

1 よかった。終わったんだね。
2 わかった。手伝ってあげよう。
3 すばらしい。手伝ってくれるかい？

解説 I'll help you.「手伝ってあげよう」は、相手に手助けを申し出る表現。このほかDo you want me to help?「手伝ってほしい？」やShall I help you?「手伝おうか？」などの表現もある。**3**のCan you help me?「手伝ってくれる？」は、反対に相手に手伝いを頼む表現。hate「ひどく嫌う」。

ANSWER **2**

No.6 21

英 文

Man：You look busy.
Woman：Yes. I'm sending answers to these e-mails. There are about twenty.
Man：Do you need some help?

英文訳

男性：忙しそうだね。
女性：ええ。これらのメールに返事を送っているんです。20通くらいあるんです。
男性：手伝おうか？

選択肢

1 Sorry, I can't.
2 You're welcome.
3 No, thank you.

選択肢の訳

1 すみません、できないんです。
2 どういたしまして。
3 いいえ、けっこうです。

解説 申し出を断るにはNo, thank you.と言う。Do you need some help?「手伝いがいるかい？」が、手伝いを申し出ている表現。相手の申し出を受けるならYes, please.「はい、お願いします」のように言えばよい。**1**は相手に何か頼まれて、それを断る表現。**2**は相手にお礼を言われたときの応答。

No.7 22

英 文

Girl：I hear you have a big collection of comic books.
Boy：Yes, I have about five hundred.
Girl：Could you lend me some of them?

英文訳

女の子：コミック本をたくさん集めてるって聞いてるんだけど。
男の子：うん、だいたい500冊あるよ。
女の子：何冊か貸してくれる？

選択肢

1 Sure. I'll be glad to.
2 Sure. I hate comic books.
3 Sure. They are all mine.

選択肢の訳

1 いいよ。喜んで。
2 いいよ。コミック本は大嫌いなんだ。
3 いいよ。みんなぼくのだよ。

解説 Could you lend me ～?「～を貸してもらえますか？」に対して、I'll be glad to.「はい、喜んで」と答えている**1**が正解。なお、頼みを断る表現にはSorry, I can't.「ごめんね、できないよ」などがある。

No.8 23

英 文

Man：Here we are. This is the biggest shopping center in our city.
Woman：It's huge! I'm so excited.
Man：Where shall we go first?

英文訳

男性：さあ着いた。ここが町で一番大きなショッピングセンターだよ。
女性：とても大きいわね！　わくわくしちゃう。
男性：最初はどこに行こうか？

選択肢

1 Let's have lunch first.
2 I had a great time.
3 It's time to go home.

選択肢の訳

1 まず昼食を食べましょう。
2 すばらしい時を過ごしました。
3 家に帰る時間です。

解説 Let's ～.「～しよう」。このほかにShall we ～?「～しようか？」、How about ～(ing)?「～はどう？」などの表現もある。huge「とても大きい」、excited「わくわくしている」。

No.9 24

英 文

Boy : Hi, Sandy. Did you have a good weekend?
Girl : Yes, I did. I went to the new museum.
Boy : Great. Who did you go there with?

英文訳

男の子：やあ、サンディ。週末は楽しかった？
女の子：うん。新しい博物館に行ったのよ。
男の子：よかったね。誰と行ったの？

選択肢

1 I went there alone.
2 With a new bag.
3 Early in the morning.

選択肢の訳

1 一人で行ったわ。
2 新しいバッグを持って。
3 朝早く。

解説 Who (did you) ～ with? は「誰と（～したの）？」とたずねる質問。ここではWho did you go there with?「君は誰と一緒にそこに行ったの？」とたずねている。これに対しては普通 I went there with（人）. と応じるが、ここではalone「一人で」となっている。museum「博物館」。

ANSWER 1

No.10 25

英 文

Girl : Are you going to see the parade this evening?
Boy : I really want to, but I can't.
Girl : Why not?

英文訳

女の子：今晩のパレードを見に行くの？
男の子：本当に行きたいんだけど、だめなんだ。
女の子：どうして？

選択肢

1 I like parades.
2 I have a lot of homework.
3 I'm not hungry.

選択肢の訳

1 パレードが好きなんだ。
2 宿題がたくさんあるんだ。
3 おなかがすいていないんだ。

解説 Whyは理由や原因をたずねる語。「なぜ行けないのか」と、否定的な内容について理由をたずねているのでWhy not?「なぜだめなの？」と言っている。パレードに行けない理由として最もふさわしいものを選ぶ。

ANSWER 2

No.11 26

(英 文)

Man：Could you tell me how to get to Lincoln High School?

Woman：Sure. It's a little far from here. You need to take a bus.

Man：Which bus should I take?

(英文訳)

男性：リンカーン高校への行き方を教えていただけますか？

女性：はい。ここからはちょっと遠いんです。バスに乗る必要があるわ。

男性：どのバスに乗ればいいですか？

(選択肢)

1 Take me with you.

2 Take No. 11.

3 Take a picture of the bus.

(選択肢の訳)

1 私を連れて行って。

2 11番に乗って。

3 バスの写真を撮って。

(解説) Whichは「どれ」「どっち」とたずねる語。11番のバスに乗りなさい、と教えている**2**が正解。far from here「ここから遠い」。a little「少し」がついているのでa little far from here「ここからはちょっと遠い」となる。

ANSWER 2

No.12 27

(英 文)

Girl：We had a karaoke contest at our school yesterday.

Boy：Sounds interesting. Did you take part in it, too?

Girl：Yes, and I won the first prize.

(英文訳)

女の子：昨日学校でカラオケコンテストがあったの。

男の子：おもしろそうだね。君も参加したの？

女の子：うん、それで1位になっちゃった。

(選択肢)

1 That's too bad.

2 I'm a good singer.

3 Congratulations!

(選択肢の訳)

1 それは困ったね。

2 ぼくは歌が上手だよ。

3 おめでとう！

(解説) いいニュースを聞いたときはCongratulations!「おめでとう！」とお祝いの言葉を言う。**1**は悪い知らせを聞いたときの応答。Sounds interesting.「それはおもしろそうだね」、sound ～「～のように聞こえる」。

会話の内容一致選択

対話と質問を聞き、その答えとして最も適切なものを **1**、**2**、**3**、**4** の中から一つ選びなさい。

No. 1

29

1 The boy's stamps.
2 The boy's postcards.
3 Their visit to Hokkaido.
4 Their favorite books.

No. 2

30

1 They can't buy the purse.
2 Ellen lost her bag.
3 Ellen can't find her ticket.
4 Paul doesn't want to go to the concert.

No. 3

31

1 Once.
2 Twice.
3 Many times.
4 He has never been abroad.

No. 4

32

1 She practiced judo.
2 She watched TV for a long time.
3 She studied hard.
4 She went to bed.

Point

- 放送は2回流れる。
- 1回目は話の全体の流れをつかもう。
- 2回目は「質問に対する答え」に注意を集中させよう。

No.5

33

1 Buy a new bike.
2 Go to the supermarket by bike.
3 Walk to the supermarket.
4 Lend a bike to Kate.

No.6

34

1 Go to the library.
2 Borrow a book.
3 Go to Ken's house.
4 Go home soon.

No.7

35

1 For an hour.
2 For two hours.
3 For three hours.
4 For four hours.

No.8

36

1 In London.
2 For a week.
3 For the first time.
4 In August.

No.9

37

1 The cake.
2 The cookies.
3 Yes, she did.
4 No, she didn't.

No.10

38

1 Two years ago.
2 In the summer.
3 In Spain.
4 At school.

No.11

39

1 Because he was sick.
2 Because he had to go to Yokohama.
3 To meet Sheila.
4 He didn't leave early.

No.12

40

1 Saturday afternoon.
2 Sunday morning.
3 Last weekend.
4 With her dad.

No. 1 29

英文

A : Are these picture postcards yours? There are so many.

B : Yes. I have about five hundred.

A : Great. Which one do you like the best?

B : This one. I bought it when I visited Hokkaido.

A : It's really beautiful!

Question : What are they talking about?

英文訳

A：ここにある絵はがきはあなたの？ずいぶんたくさんあるね。

B：うん。500枚くらい持っているよ。

A：すごい。どれが一番気に入っているの？

B：これ。北海道を訪れたときに買ったんだ。

A：本当にきれいだね！

質問：彼らは何について話しているか。

選択肢の訳

1 男の子の切手。

2 男の子のはがき。

3 彼らが北海道を訪れたこと。

4 彼らのお気に入りの本。

解説 「何について話しているか」をたずねる問題は、よく出題される。話全体の流れを聞き取ることが必要だが、特に出だしの話題に注意しよう。postcard「はがき」、boughtはbuy「買う」の過去形。

No. 2 30

英文

A : Are you ready to go, Ellen?

B : Sorry, Paul. I can't find my ticket.

A : Didn't you put it in your purse?

B : I thought so, but it isn't there.

Question : What is the problem?

英文訳

A：出かける用意はできたかい、エレン？

B：ごめんなさい、ポール。チケットが見つからないの。

A：ハンドバッグに入れなかった？

B：そう思ったんだけど、そこにないのよ。

質問：何が問題なのか。

選択肢の訳

1 財布を買えない。

2 エレンがバッグをなくした。

3 エレンがチケットを見つけられない。

4 ポールがコンサートに行きたくない。

解説 「問題点は何か」とのたずね方で、話全体の流れをつかめているかを試す問題。最初の方にキーワードが出てくることがよくあるので注意。ここではI can't find my ticket.「チケットが見つからない」がカギとなる。purse「ハンドバッグ、財布」。

ANSWER 3

No.3 31

英文

A：Have you been abroad many times, Mr. Yamada?
B：No, I never have.
A：Then why do you speak English so well?
B：Well, my wife is from New York.
Question：How many times has Mr. Yamada been abroad?

英文訳

A：外国には何回も行ったことがあるのですか、ヤマダ先生？
B：いや、一度もないんだ。
A：ではどうしてそんなに上手に英語を話せるのですか？
B：じつは妻がニューヨーク出身なんだ。
質問：ヤマダ先生は外国に何回行ったことがあるか。

選択肢の訳

1 1回。
2 2回。
3 何回も。
4 1回も外国に行ったことはない。

解説 How many times ～？は回数をたずねる文。ヤマダ先生は最初のせりふで No, I never have.「いや、一度もない」と言っている。once「1回」、twice「2回」、many times「何回も」、abroad「外国へ」。

No.4 32

英文

A：Good night, Dad.
B：What's the matter, Ryoko? Why are you going to bed so early? Don't you want to watch TV?
A：I'm just tired.
B：Why?
A：I practiced judo for three hours after school.
Question：Why is Ryoko tired?

英文訳

A：お父さん、おやすみ。
B：どうしたんだい、リョウコ？ 何でそんなに早く寝るんだ？ テレビは見たくないのか？
A：疲れているだけ。
B：どうして？
A：放課後3時間、柔道の練習をしたの。
質問：なぜリョウコは疲れているのか。

選択肢の訳

1 柔道の練習をした。
2 長い時間テレビを見た。
3 一生懸命勉強した。
4 ベッドに入った。

解説 Why ～？は理由をたずねる文。原因 → 結果の関係をつかもう。What's the matter?「いったいどうしたんだ？」。よく似た表現にWhat's wrong?「何かあったの？」がある。practice「練習する」。

No.5 33

英 文

A：Can I use your bike, Kate? I'm going to the supermarket.
B：Sorry, Dave. It's broken now.
A：OK. I think I'll walk, then.
B：Why don't you borrow Mom's bike?
A：That's a good idea.
Question：What does Dave want to do?

英文訳

A：ケイト、君の自転車、借りてもいい？スーパーに行くんだけど。
B：ごめん、デイブ。今壊れてるのよ。
A：わかった。じゃあ歩くことにするよ。
B：お母さんの自転車を借りたら？
A：いい考えだ。
質問：デイブは何をしたいのか。

選択肢の訳

1 新しい自転車を買う。
2 自転車でスーパーに行く。
3 スーパーまで歩く。
4 ケイトに自転車を貸す。

解説 What does ～ want to do? は「～は何をしたいか？」をたずねる質問。本当は自転車で行きたいので、正解は**2**。Why don't you ～？「～したらどう？」は、提案するときの表現。borrow「借りる」、lend「貸す」。

No.6 34

英 文

A：What are you going to do after school today, Mary?
B：I'm going to go to the library.
A：I think it's closed today.
B：You're right. It's Monday today. Then, can I go to your house, Ken?
A：Sure.
Question：What will Mary do after school?

英文訳

A：今日の放課後は何をするの、メアリー？
B：図書館に行くつもりよ。
A：今日は閉まっていると思うよ。
B：そうね。今日は月曜日だわ。じゃあ、ケン、あなたの家に行ってもいい？
A：いいよ。
質問：メアリーは放課後何をするか。

選択肢の訳

1 図書館に行く。
2 本を借りる。
3 ケンの家に行く。
4 すぐ家に帰る。

解説 What will ～ do?「～は何をするのか？」は未来のことについてたずねる表現。メアリーは図書館に行こうと思っていたけれど、この日は休館だとわかってケンの家に行くことにした。図書館の話に引きずられないよう注意。

第5章 リスニング問題・会話の内容一致選択 A

No.7 35

英 文

A : Are you ready for the test, Ken?
B : Yes. I studied for three hours yesterday, and two hours this morning.
A : I studied only for an hour.
B : But, you're good at math.
Question : How long did Ken study yesterday?

英文訳

A：ケン、テストの準備はいい？
B：うん。昨日３時間と、今朝２時間勉強したよ。
A：私は１時間しか勉強していないわ。
B：でも、君は数学が得意だから。
質問：ケンは昨日何時間テスト勉強をしたか。

選択肢の訳

1 １時間。
2 ２時間。
3 ３時間。
4 ４時間。

解説 How long ～?は「どれくらいの長さ～？」と時間や期間、物の長さをたずねる文。ここでは、ケンが昨日何時間テスト勉強をしたかをたずねている。ケンが昨日勉強したのは３時間だったので、正解は**3**。

ANSWER 3

No.8 36

英 文

A : You have a nice bag, Jenny.
B : Thanks. I bought it in London.
A : Oh, you went to London? When?
B : In August. I stayed there for a week.
A : I envy you, Jenny.
Question : When did Jenny buy her bag?

英文訳

A：いいバッグを持っているね、ジェニー。
B：ありがとう。ロンドンで買ったの。
A：へえ、ロンドンに行ったの？ いつ？
B：８月にね。１週間滞在したの。
A：うらやましいよ、ジェニー。
質問：ジェニーはいつバッグを買ったか。

選択肢の訳

1 ロンドンで。
2 １週間。
3 はじめて。
4 ８月に。

解説 When did ～? は「いつ～したのか？」をたずねる質問。ジェニーがロンドンに行ったのは８月なので、正解は**4**。**1**はWhere did Jenny buy her bag?「ジェニーはどこでバッグを買ったのか？」という質問に対する答え。

ANSWER 4

No.9 37

英 文

A：This cake is very good, Amy.

B：Thank you. I made it myself.

A：Great! Did you make these cookies, too?

B：No. I bought them at the supermarket.

Question：What did Amy make?

英文訳

A：このケーキとってもおいしいね、エイミー。

B：ありがとう。私が作ったの。

A：すごいよ！　こっちのクッキーも君が作ったの？

B：いいえ。それはスーパーで買ってきたの。

質問：エイミーは何を作ったのか。

選択肢の訳

1 ケーキ。　**2** クッキー。

3 はい、そうです。　**4** いいえ、違います。

解説 What did ～ make? は「～は何を作ったか？」という質問。エイミーはケーキについては自分が作ったが、クッキーはスーパーで買ってきたと言っている。I made it myself.「自分で作った」。

ANSWER 1

No.10 38

英 文

A：What is your hobby, Ms. Miller?

B：I like painting pictures. Do you see that picture on the wall? I painted it myself.

A：Great. When did you paint it?

B：Two years ago. I painted it when I visited Spain.

Question：Where did Ms. Miller paint the picture?

英文訳

A：ミラー先生、ご趣味は何ですか？

B：絵を描くのが好きなんです。壁の絵が見えますか？　あれは私が描いたんですよ。

A：すごい。いつ描いたんですか？

B：２年前です。スペインを訪れたときに描いたんです。

質問：ミラー先生はどこでその絵を描いたのか。

選択肢の訳

1 ２年前。　**2** 夏に。

3 スペインで。　**4** 学校で。

解説 Where did ～？は「どこで～したのか？」とたずねる文。Whereは「場所」をたずねる語なので、答えも場所になる。ミラー先生は I painted it when I visited Spain.「スペインを訪れたときに描いた」と言っているので、正解は**3**。

ANSWER 3

No. 11 39

英 文

A : Where is Mr. Baker? Do you know, Sheila?
B : He left early today.
A : He did? Why? Was he sick?
B : No. He had to go to Yokohama on business.
Question : Why did Mr. Baker leave early today?

英文訳

A : ベイカー先生はどこ？ シーラ、知っている？
B : 今日は早退したよ。
A : 本当に？ どうして？ 具合が悪かったの？
B : 違うよ。仕事で横浜に行かなくてはいけなかったの。
質問 : 今日、ベイカー先生はなぜ早退したのか。

選択肢の訳

1 具合が悪かったから。
2 横浜に行かなくてはならなかったから。
3 シーラに会うため。
4 彼は早退しなかった。

解説 Why did ～？は「なぜ～したのか？」と理由をたずねる質問。ここではベイカー先生の早退の理由をたずねている。He had to go to Yokohama on business.「彼は仕事で横浜に行かなければならなかった」とある。

ANSWER 2

No. 12 40

英 文

A : Can you take me to the shopping mall this weekend, Dad?
B : OK, Susie. But I'm busy on Saturday afternoon.
A : How about Sunday morning?
B : All right.
A : Thank you, Dad.
Question : When will Susie go to the mall?

英文訳

A : お父さん、今度の週末ショッピングモールに連れて行ってくれない？
B : いいよ、スージー。でも土曜日の午後はお父さん忙しいんだ。
A : 日曜日の午前はどう？
B : いいよ。
A : ありがとう、お父さん。
質問 : スージーはいつモールに行くか。

選択肢の訳

1 土曜日の午後。
2 日曜日の午前。
3 先週末。
4 お父さんと一緒に。

解説 When will ～？は「いつ～するのか？」と未来のことをたずねる文。お父さんが土曜日の午後は忙しいので、日曜日の午前に行くことになった。mallは、郊外の敷地にいくつもの店が集まったショッピングセンター。

ANSWER 2

会話の内容一致選択

対話と質問を聞き、その答えとして最も適切なものを **1**、**2**、**3**、**4** の中から一つ選びなさい。

No.1 42

1 To the station.
2 To the hotel.
3 To the Chinese restaurant.
4 To the French restaurant.

No.2 43

1 In the bathroom.
2 In the computer room.
3 In the science room.
4 In the teachers' room.

No.3 44

1 In the cafeteria.
2 In the next class.
3 After lunch.
4 After school.

No.4 45

1 Go to school.
2 Go to his friend's house.
3 Travel around Europe.
4 Show some pictures.

No.5

46

1 Once every day.
2 Once a week.
3 Once a month.
4 Once a year.

No.6

47

1 In Oregon.
2 In July.
3 To summer school.
4 For a month.

No.7

48

1 Play sports.
2 Go shopping.
3 Buy small shirts.
4 Have a snack at the mall.

No.8

49

1 Because it was open yesterday.
2 Because it was closed yesterday.
3 Because it was crowded yesterday.
4 Because it was cloudy yesterday.

No.9

50

1 Matt did.
2 Matt's brother did.
3 Matt and his brother did.
4 Matt and Sherry did.

No.10

51

1 $ 60.
2 $ 70.
3 $ 80.
4 $ 90.

No.11

52

1 By bus.
2 By bike.
3 By car.
4 By train.

No.12

53

1 Eri's.
2 Rie's.
3 Both Eri's and Rie's.
4 Neither Eri's nor Rie's.

No.1 42

英文

A：Let's eat out this evening.
B：Great. Where are we going? To the Chinese restaurant near the station?
A：No. A new French restaurant opened near the hotel. We are going there.
B：Good! I love French food.
Question：Where will they go this evening?

英文訳

A：今晩は外食にしよう。
B：いいわね。どこに行くの？ 駅の近くの中華料理のレストラン？
A：いや。ホテルの近くに新しいフランス料理のレストランが開店したんだ。そこに行くよ。
B：やった！ フランス料理、大好き。
質問：彼らは今晩、どこに行くか。

選択肢の訳

1 駅へ。
2 ホテルへ。
3 中華料理のレストランへ。
4 フランス料理のレストランへ。

解説 Where will ～?「どこに（で）～するか？」はこれから行われることについて、場所をたずねる文。場所に関する情報に耳を澄ませると、中華料理店ではなく、フランス料理店だと言っていることがわかる。

No.2 43

英文

A：Jeff, where were you? Jodi was looking for you.
B：I was writing my science report in the computer room. Where did she go?
A：She went to the teachers' room.
B：Thanks.
Question：Which room was Jeff in?

英文訳

A：ジェフ、どこにいたの？ ジョディが捜していたわよ。
B：コンピューター室で理科のレポートを書いていたんだ。ジョディはどこへ行ったかな？
A：職員室へ行ったわ。
B：ありがとう。
質問：ジェフはどの部屋にいたか。

選択肢の訳

1 トイレ。
2 コンピューター室。
3 理科室。
4 職員室。

解説 Which ～?は「どの～?」とたずねる文。ここでは、Which room was Jeff in?と、ジェフがどの部屋にいたかをたずねている。ジェフはコンピューター室にいたと言っているので、正解は**2**。

No.3 44

(英　文)

A：I need your help, Ellen. The math homework is too difficult for me.

B：OK, Frank. But I have to go to the next class now. Can I see you in the cafeteria after lunch?

A：Sure. Thanks a lot.

B：No problem.

Question：When will Ellen help Frank?

(英文訳)

A：手伝ってほしいんだ、エレン。数学の宿題がぼくには難しすぎるんだ。

B：わかったわ、フランク。でも今は次の授業に行かなくてはならないの。昼食の後にカフェテリアで会えるかな？

A：いいよ。ありがとう。

B：おやすいご用よ。

質問：エレンはいつフランクを手伝うのか。

(選択肢の訳)

1 カフェテリアで。
2 次の授業で。
3 昼食の後。
4 放課後。

(解説) When ～？は「いつ～？」と「時」をたずねる文。Whenの質問に答える場合は時に関する情報にしっかり耳を傾けるようにする。エレンは昼食後にカフェテリアで会えるかとたずね、フランクが了承している。

No.4 45

(英　文)

A：Can you come to my house after school? I want to show you something.

B：Sure. What is it?

A：The pictures I took during my trip to Europe.

B：I'd love to see them!

Question：What does the boy want to do?

(英文訳)

A：放課後うちに来られるかい？　見せたい物があるんだ。

B：いいわよ。何かしら？

A：ヨーロッパ旅行のときに撮った写真だよ。

B：ぜひ見たいわ！

質問：男の子は何をしたいのか。

(選択肢の訳)

1 学校へ行く。
2 友人の家へ行く。
3 ヨーロッパ中を旅行する。
4 写真を見せる。

(解説) What does ～ want to do?は「～は何をしたいか？」とたずねる文。「見せたい物」が「ヨーロッパ旅行のときに撮った写真」だという流れをとらえよう。よって、正解は**4**。

No.5 46

英文

A：Where were you yesterday morning, Maria? I called you, but you didn't answer.

B：I went to church with my family.

A：Do you go to church every week?

B：Yes. Every Sunday morning.

Question：How often does Maria go to church?

英文訳

A：マリア、昨日の午前中どこにいたの？ 電話したけど、出なかったよね。

B：家族で教会に行っていたの。

A：毎週教会に行くの？

B：ええ。毎週日曜の午前にね。

質問：マリアはどのくらい頻繁に教会に行くか。

選択肢の訳

1 毎日1回。
2 1週間に1回。
3 1か月に1回。
4 1年に1回。

解説 How often ～？「どのくらいしばしば～？」は、頻度をたずねる文。答えにはonce every day「毎日1回」やonce a week「週に1回」のような表現を使う。

No.6 47

英文

A：I heard you are going to America in July. Is it true, Goro?

B：Yes, I'm going to summer school in Oregon.

A：Are you going to study English there?

B：Yes. And also, I'll take part in many kinds of activities. I'm going to stay there for a month.

Question：How long is Goro going to stay in Oregon?

英文訳

A：7月にアメリカに行くって聞いたわ。本当なの、ゴロウ？

B：うん。オレゴンのサマースクールに行くんだ。

A：そこで英語を勉強するの？

B：そう。それに、いろいろな行事に参加するんだ。1か月間いる予定だよ。

質問：ゴロウはオレゴンにどれくらいの期間滞在するか。

選択肢の訳

1 オレゴンに。
2 7月に。
3 サマースクールに。
4 1か月間。

解説 How long ～？は時間などの長さをたずねる文。選択肢で「期間」を述べているのは**4**だけ。take part in ～「～に参加する」、activity「活動、活躍」。

No.7 48

英　文

A：Mom, I need some new sport shirts.
B：You already have plenty.
A：But they are getting too small.
B：Really?　OK, let's go to the mall this afternoon.
Question：What will the boy do this afternoon?

英文訳

A：お母さん、新しい運動用シャツがいるんだけど。
B：もうたくさん持っているじゃない。
A：でも全部きつくなってきているんだよ。
B：そうなの？　わかったわ、午後からショッピングモールに行きましょう。
質問：男の子は今日の午後、何をするだろうか。

選択肢の訳

1 スポーツをする。
2 買い物に行く。
3 小さいシャツを買う。
4 ショッピングモールでおやつを食べる。

解説 What will ～ do?「～は何をするか？」は、未来のことについて何をするかたずねる文。「シャツのサイズがきつくなってきたから新しいものがほしい」という流れなので、正解は**2**。

No.8 49

英　文

A：Do you have any plans for tomorrow, Judy?
B：Yes.　I'm going to the library.
A：But you went there yesterday, didn't you?　Was it closed yesterday?
B：No.　It was open, but it was too crowded.
A：Yes, it's crowded on weekends.
Question：Why will Judy go to the library again tomorrow?

英文訳

A：明日の計画は何か立てているの、ジュディ？
B：ええ。図書館に行くの。
A：でも昨日行ったんじゃないの？昨日は閉まっていたの？
B：いいえ。開いていたけど、ひどく混んでいたのよ。
A：うん、週末は混んでいるよね。
質問：なぜジュディは明日また図書館に行くのか。

選択肢の訳

1 昨日は開いていたから。
2 昨日は閉まっていたから。
3 昨日は混んでいたから。
4 昨日は曇っていたから。

解説 Why will ～？「なぜ～するか？」はこれからのことについてたずねる文。昨日、図書館は開いていたが、ジュディはit was too crowded.「ひどく混んでいた」と言っている。

No. 9 50

英文

A : These model ships are beautiful. Did you build them, Matt?

B : No, Sherry. My brother Keith did.

A : Don't you build any model ships?

B : No. I prefer playing video games.

Question : Who built the model ships?

英文訳

A : ここにある船の模型は立派ね。あなたが作ったの、マット？

B : 違うよ、シェリー。兄のキースが作ったんだ。

A : あなたは船の模型を作らないの？

B : 作らないよ。テレビゲームの方が好きなんだ。

質問 : 誰が船の模型を作ったのか。

選択肢の訳

1 マット。
2 マットの兄。
3 マットと兄。
4 マットとシェリー。

解説 Who built ～？は「誰が～を作ったのか？」とたずねる文。ここでは船の模型を作ったのは誰かが問題になっている。I prefer ～.「私は～の方が好きだ」。

No. 10 51

英文

A : Is this red bag on sale?

B : Yes. It was originally $ 90, but it's $ 60 today.

A : Is this white one on sale, too?

B : No, this one is $ 80.

Question : How much is the red bag today?

英文訳

A : この赤いバッグはセール品ですか？

B : はい。もとは90ドルだったのですが、今日は60ドルです。

A : この白いバッグもセール品ですか？

B : いいえ、こちらは80ドルです。

質問 : 赤いバッグは今日いくらか。

選択肢の訳

1 60ドル。
2 70ドル。
3 80ドル。
4 90ドル。

解説 How much ～？は「どれくらい～？」と、量や程度、価格をたずねる文。ここでは赤いバッグの今日の価格をたずねているので、正解は**1**。on saleは「特価で」という意味。「売りに出ている」という意味を表すこともある。

No. 11 52

英 文

A：Are you going to Jason's birthday party?

B：Yes. I'm going to go there by bus. How about you?

A：My sister's driving me there. You can go with us.

B：Thank you.

Question：How will they go to the party?

英文訳

A：ジェイソンの誕生日パーティーには行く？

B：行くわよ。バスで彼の家まで行くつもり。あなたは？

A：姉が車で送ってくれるんだ。一緒に乗って行きなよ。

B：ありがとう。

質問：彼らはどうやってパーティーに行くか。

選択肢の訳

1 バスで。

2 自転車で。

3 車で。

4 電車で。

解説 How ～?は「どうやって～？」と方法をたずねる質問。driveは「(車などを) 運転する、車で送る」という意味。Aが「一緒に車で行こう」と誘い、Bが同意しているので、正解は**3**。

No. 12 53

英 文

A：You have a nice backpack, Eri.

B：Thanks, but it's not mine. It's my sister Rie's. Mine is broken.

A：Are you going to buy a new one?

B：Yes. I'm going to the department store after school.

Question：Whose backpack is broken?

英文訳

A：すてきなバックパックだね、エリ。

B：ありがとう、でも私のじゃないの。妹のリエのなの。私のは壊れているのよ。

A：新しいのを買うの？

B：うん。放課後、デパートに行くのよ。

質問：誰のバックパックが壊れているのか。

選択肢の訳

1 エリの。

2 リエの。

3 エリとリエの。

4 エリのもリエのも壊れていない。

解説 Whose ～? は「誰の～？」とたずねる質問。エリは自分のバックパックが壊れたから妹のを使っている、と言っている。**3**はboth A and B「AもBも両方」、**4**はneither A nor B ～「AもBも～でない」。

文の内容一致選択

英文と質問を聞き、その答えとして最も適切なものを **1**、**2**、**3**、**4** の中から一つ選びなさい。

No.1 55

1 They saw a baseball game.
2 They cooked dinner.
3 They watched a DVD.
4 They caught cold.

No.2 56

1 Before dinner.
2 After dinner.
3 Tomorrow.
4 Next Monday.

No.3 57

1 At the nearest bookstore.
2 Near the station.
3 Near her school.
4 She couldn't buy it.

No.4 58

1 At six.
2 At seven.
3 Last night.
4 This morning.

Point

- 放送は2回流れる。
- 1回目には話の内容全体をとらえよう。
- 2回目には質問の答えが何か集中して聞こう。

No.5

59

1 This summer.
2 In August.
3 Eleven days.
4 Two weeks.

No.6

60

1 Twice a week.
2 Three times a week.
3 Every day.
4 Part-time.

No.7

61

1 A princess.
2 A dog.
3 A student.
4 A parent.

No.8

62

1 He was late for the test.
2 The questions were too difficult.
3 He forgot his glasses.
4 He forgot the answers.

No.9

63

1 A new book.
2 A new bookstore.
3 A special sale.
4 How to cook.

No.10

64

1 At an airport.
2 At a train station.
3 At a restaurant.
4 At a supermarket.

No.11

65

1 Sunny.
2 Rainy.
3 Cloudy.
4 Windy.

No.12

66

1 Bob's.
2 Jim's.
3 Jim's sister's.
4 Cathy's.

No. 1 55

英文

Sam and Kim were going to see a baseball game this evening, but decided not to, because Kim caught a bad cold. Sam cooked dinner, and they watched a DVD together at home.

Question：What did Sam and Kim do this evening?

英文訳

サムとキムは今晩、野球の試合を見に行く予定でしたが、キムがひどいかぜをひいてしまったので行かないことにしました。サムが夕食を作り、二人は家で一緒にDVDを見ました。

質問：サムとキムは今晩、何をしたか。

選択肢の訳

1 野球の試合を見た。
2 夕食を作った。
3 DVDを見た。
4 かぜをひいた。

解説 What did ～?「何を～したか？」は過去の行動についてたずねる文。ほぼ毎回出題される。catch a bad cold「ひどいかぜをひく」、cook dinner「夕食を作る」。

No. 2 56

英文

Alex was very busy this evening. He has a math test tomorrow, and he has to finish his science report by next Monday. So, he studied math before dinner, and wrote his science report after dinner.

Question：When did Alex study math?

英文訳

アレックスは今晩、とても忙しかったのです。明日は数学のテストがあるし、理科のレポートは次の月曜日までに仕上げなくてはいけません。そこで、彼は夕食前に数学の勉強をして、夕食後に理科のレポートを書きました。

質問：アレックスはいつ数学の勉強をしたか。

選択肢の訳

1 夕食前に。
2 夕食後に。
3 明日。
4 今度の月曜日。

解説 When did ～?「いつ～したか？」は過去の行動について時をたずねる文。これもたいへんよく出題される。4行目のhe studied math before dinner,「彼は夕食の前に数学の勉強をした」から、夕食前に勉強したことがわかる。this evening「今晩」、by next Monday「次の月曜日までに」。

ANSWER 1

No.3 57

英文

Sayaka wanted a new book. She went to the nearest bookstore but couldn't find it there. The bookstore near the station didn't have it, either. Finally, she bought it at a small bookstore near her school.

Question：Where did Sayaka buy the book?

英文訳

サヤカは新しい本がほしかったのです。一番近くの本屋に行きましたが、そこにはありませんでした。駅のそばの本屋にもありませんでした。やっと、学校の近くの小さな本屋で買いました。

質問：サヤカはその本をどこで買ったか。

選択肢の訳

1 一番近くの本屋で。　**2** 駅の近くで。
3 学校の近くで。　**4** 買えなかった。

解説 Where did ～?「どこで～したか？」は過去の行動について場所をたずねる文。結局、サヤカが本を買えたのは最後に行った学校の近くの小さな本屋だった。finally「最後に、やっと」。

No.4 58

英文

Mari got up at seven this morning and was late for school. She usually gets up at six, but this morning, she got up late because she stayed up late last night.

Question：What time does Mari usually get up?

英文訳

マリは今朝７時に起きて学校に遅れました。ふだんは６時に起きるのですが、今朝は、昨夜夜更かししたため起きるのが遅くなってしまったのです。

質問：マリはふだん何時に起きるか。

選択肢の訳

1 ６時に。　**2** ７時に。
3 昨夜。　**4** 今朝。

解説 What time does ～?「何時に～するのか？」はふだんの行動について時刻をたずねる文。ふだん起きる時間について説明しているのは２文目。be late for ～「～に遅れる」、usually「普通、たいてい」。

No.5 59

（英文）

This summer, Eriko visited her uncle in Vancouver. She arrived there on August eleventh, and stayed there for two weeks. Eriko's uncle took her to various places. She wants to go there again next summer.

Question：How long did Eriko stay in Vancouver?

（英文訳）

今年の夏、エリコはバンクーバーのおじさんを訪ねました。８月11日に到着して、２週間滞在しました。エリコのおじさんは彼女をいろいろな所に連れて行ってくれました。エリコは来年の夏もまた行きたいと思っています。

質問：エリコはバンクーバーにどれくらいの間、滞在したか？

（選択肢の訳）

1 今年の夏。
2 ８月に。
3 11日間。
4 ２週間。

（解説）How long ～？は「どれくらい長く～？、どのくらいの間～？」と時間や距離の長さをたずねる表現。3行目のand stayed there for two weeks「２週間滞在した」からわかる。various「いろいろな」。

No.6 60

（英文）

Every day, Mack is very busy after school. He practices basketball three times a week, and he works part-time at a restaurant twice a week. His parents hope he will spend more time on studying.

Question：How many times a week does Mack practice basketball?

（英文訳）

マックは毎日、放課後たいへん忙しいのです。週に３回、バスケットボールの練習に行き、週に２回はアルバイトとしてレストランで働きます。両親は、彼にもっと勉強の方に時間を使ってほしいと思っています。

質問：マックは週に何回バスケットボールの練習をするか。

（選択肢の訳）

1 週に２回。
2 週に３回。
3 毎日。
4 アルバイトで。

（解説）How many times ～？は「何回～？」と回数をたずねる表現。ここではマックがバスケットボールの練習をする回数をたずねている。twice a week「週に２回」、three times a week「週に３回」。spend「（時間やお金を）使う」。

ANSWER **2**

No.7 61

英文

Yesterday, we had our school festival. Our class put on a play about a princess and her dog. Jennifer played the princess, and I played the dog. Many students and parents came to see it.

Question：Which part did the girl play?

英文訳

昨日は学園祭でした。私たちのクラスは王女様と犬の劇を上演しました。ジェニファーが王女役を、私が犬の役を演じました。大勢の生徒や親がその劇を見に来てくれました。

質問：この女の子はどの役を演じたか。

選択肢の訳

1 王女様。
2 犬。
3 生徒。
4 親。

解説 Which ～?は「どの～?」と限られた選択肢の中でどれかをたずねる表現。ここではWhich part ～?なので、誰がどの役を演じたのかに注意して聞き取る。school festival「学園祭」、put on a play「劇を上演する」。

ANSWER 2

No.8 62

英文

We had a math test yesterday. It wasn't so difficult, but I didn't do well because I forgot my glasses. I couldn't see well, and needed a lot of time reading and answering each question.

Question：What was the boy's problem?

英文訳

昨日数学のテストがありました。それほど難しくはなかったのですが、メガネを忘れたのでうまくいきませんでした。よく見えなかったので、質問を読んだり答えたりするのに時間がかかったのです。

質問：男の子の問題は何だったのか。

選択肢の訳

1 テストに遅れた。
2 質問が難しすぎた。
3 メガネを忘れた。
4 答えを忘れた。

解説 What was the problem?は「問題は何?」と問題点をたずねる文。全体の内容から答えが求められる。男の子がメガネを忘れ、テストの質問がよく読めずに失敗した話なので、**3**が該当する。difficult「難しい」、glasses「メガネ」、problem「問題点」。

ANSWER 3

No.9 63

英文

Crown Books is having a special sale next week. The children's books will be 20 percent off, and the cookbooks will be ten percent off. Don't miss this chance! The sale starts on Wednesday next week.

Question：What is the woman talking about?

英文訳

クラウン書店は来週、特別セールを行います。子どもの本は２割引、料理本は１割引です。この機会をお見逃しなく！セールは来週水曜日にスタートします。

質問：この女性は何について話しているか。

選択肢の訳

1 新しい本。　**2** 新しい書店。
3 特別のセール。　**4** 料理の仕方。

解説 What is ～ about?「何について～？」の質問は文章全体の内容から判断する。案内放送で、どのような情報が伝えられているかを聞き取ることが大切。20 percent off「20パーセント（２割）引き」、Don't miss ～「～を逃すな」。

ANSWER 3

No.10 64

英文

Attention, please. The next train to Chicago is one hour late because of the bad weather. It will arrive in about half an hour. Please wait at Platform 5.

Question：Where is the man talking?

英文訳

ご案内申し上げます。次のシカゴ行きの列車は、悪天候のため１時間遅れております。あと30分ほどで到着する見込みです。５番線でお待ちください。

質問：この男性はどこで話しているか。

選択肢の訳

1 空港で。　**2** 列車の駅で。
3 レストランで。　**4** スーパーで。

解説 文章全体とキーワードから判断して答える。No.9同様、公共の案内放送。train「列車」、platform「プラットフォーム」などのキーワードと、到着時刻などを伝えていることから、答えは列車の駅と判断できる。bad weather「悪天候」、half an hour「30分」。

ANSWER 2

No. 11 65

英文

It's raining and windy now in Boston, but the wind will go down and the clear blue sky will come back tomorrow. It'll be partly cloudy the day after tomorrow.

Question：How will the weather be in Boston tomorrow?

英文訳

現在ボストンでは雨が降り、風も吹いておりますが、風は弱まって、明日はきれいな青空が戻ってくるでしょう。明後日はところにより曇りとなるでしょう。

質問：明日のボストンの天気はどうか。

選択肢の訳

1 晴れ。　**2** 雨。

3 曇り。　**4** 風が強い。

解説 天気予報の問題は、天気を表す語句さえ正しく覚えておけば比較的取り組みやすい。選択肢のほか、temperature「気温」、hot「暑い」、warm「暖かい」、cool「涼しい」、cold「寒い」なども覚えておきたい。partly「部分的に」、the day after tomorrow「明後日」、weather「天気」。

ANSWER 1

No. 12 66

英文

Yesterday, Bob forgot his dictionary. He tried to borrow Jim's dictionary, but Jim forgot his dictionary, too. Then Cathy lent him hers because she had two dictionaries.

Question：Whose dictionary did Bob use?

英文訳

昨日、ボブは辞書を忘れました。ジムの辞書を借りようとしましたが、ジムも辞書を忘れていました。そこで、キャシーが辞書を２冊持っていたので貸してくれました。

質問：ボブは誰の辞書を使ったか。

選択肢の訳

1 ボブの。　**2** ジムの。

3 ジムの姉（妹）の。　**4** キャシーの。

解説 Whose ～?は「誰の～?」と持ち主をたずねる表現。ここでは、ボブが自分の辞書を忘れて誰かに借りようとしている。Cathy lent him hers「キャシーが貸してくれた」とあるので、正解は**4**。lentはlend「貸す」の過去形、borrow「借りる」。

ANSWER 4

文の内容一致選択

英文と質問を聞き、その答えとして最も適切なものを **1**、**2**、**3**、**4** の中から一つ選びなさい。

No. 1

68

1 About animals.
2 She studied English.
3 She won the first prize.
4 By bus.

No. 2

69

1 Once a week.
2 Six days a week.
3 Every day.
4 Every Sunday.

No. 3

70

1 An English teacher.
2 A farmer.
3 Flowers and animals.
4 His uncle.

No. 4

71

1 He goes fishing.
2 He studies science.
3 He writes a science report.
4 He becomes a scientist.

No.5 72

1 Play soccer.
2 Take a trip.
3 Go to school.
4 Stay with his grandparents.

No.6 73

1 To Hong Kong.
2 To Singapore.
3 To Korea.
4 She will stay in Japan.

No.7 74

1 Pat.
2 Pat's sister.
3 Betty.
4 Sara.

No.8 75

1 To see Charles.
2 To buy some comic books.
3 Because she broke her leg.
4 Because she was sick.

No. 9

76

1 $ 20.
2 $ 80.
3 $ 100.
4 $ 120.

No. 10

77

1 On a bus.
2 On a plane.
3 At a station.
4 In a hotel.

No. 11

78

1 At 2:30.
2 At 3:30.
3 At 6:30.
4 At 11:30.

No. 12

79

1 To take a bus.
2 To come to the station.
3 To meet her in the coffee shop.
4 To take her to the station.

No.1 68

英文

Yesterday, Yuki took part in an English speech contest. It was held in the City Hall. She went there by bus. She talked about protecting wild animals, and won the first prize.

Question：How did Yuki do in the speech contest?

英文訳

昨日、ユキは英語のスピーチコンテストに参加しました。コンテストは市役所で開かれました。ユキはそこにバスで行きました。彼女は野生動物を保護することについて話し、1位を取りました。

質問：ユキのスピーチコンテストの出来はどうだったか。

選択肢の訳

1 動物について。
2 英語を勉強した。
3 1位を取った。
4 バスで。

解説 Howは方法や状態などをたずねる語。ここではユキのスピーチコンテストでの出来映えをたずねている。答えが**4**になるのは、質問がHow did Yuki go to the City Hall?「ユキはどうやって市役所に行ったのか？」と、交通手段をたずねているとき。take part in ～「～に参加する」、protect「守る」、wild animals「野生動物」。

ANSWER 3

No.2 69

英文

Misato belongs to the badminton team of her school. They practice every day from Monday to Saturday, but they don't practice on Sunday. So Misato usually gets up late on Sundays.

Question：How often does Misato practice badminton?

英文訳

ミサトは学校のバドミントンチームに所属しています。月曜日から土曜日まで毎日練習しますが、日曜日には練習しません。だからミサトは日曜日はたいてい遅くまで寝ています。

質問：ミサトはバドミントンをどのくらいの頻度で練習するか。

選択肢の訳

1 週に1回。
2 週に6日。
3 毎日。
4 毎週日曜日。

解説 How often ～？は、頻度をたずねる文。once「1回」、twice「2回」、three times「3回」、every day「毎日」などを覚えておく。once a week「週に1回」、twice a month「月に2回」。belong to ～「～に所属する」。

No.3 70

英文

Kenta's parents are both English teachers, but he doesn't like English. He likes flowers and animals. So he wants to be a farmer like his uncle who has a farm in Nagano.

Question：What does Kenta want to be in the future?

英文訳

ケンタの両親はともに英語の先生ですが、彼は英語が好きではありません。彼は花や動物が好きです。だから、長野に農場を持っているおじのような農場経営者になりたいと思っています。

質問：ケンタは将来、何になりたいのか。

選択肢の訳

1 英語の先生。
2 農場経営者。
3 花と動物。
4 彼のおじさん。

解説 What does ～ want to be?「～は何になりたいか？」をたずねる文。最後にhe wants to be a farmer「彼は農場経営者になりたい」と言っている。このbeの意味はbecome「～になる」に近い。**【例】** I want to be a police officer.「私は警察官になりたい」。both「両方」、in the future「将来」。

ANSWER 2

No.4 71

英文

Chris is interested in fish. He goes fishing every weekend. Last summer, he wrote a science report about fish, and got an A. He wants to be a scientist in the future.

Question：What does Chris do every weekend?

英文訳

クリスは魚に興味があります。彼は毎週末釣りに行きます。去年の夏、彼は理科のレポートで魚について書き、Aを取りました。将来は科学者になりたいと思っています。

質問：クリスは毎週末何をするか。

選択肢の訳

1 魚釣りに行く。
2 理科の勉強をする。
3 理科のレポートを書く。
4 科学者になる。

解説 What does ～ do? は職業をたずねるときにも使うが、ここでは「何をするか？」をたずねている。He goes fishing every weekend.「毎週末、彼は釣りに行く」から正解は**1**。(be) interested in ～「～に興味がある」。

No.5 72

英 文

On weekends, David usually plays soccer with his friends. But this weekend, his parents are going to take a trip to New York, so he will stay at his grandparents' house.

Question：What will David do this weekend?

英文訳

週末、デイビッドはたいてい友だちとサッカーをします。でも、この週末は、両親がニューヨークに旅行に行くので、祖父母の家に泊まります。

質問：デイビッドはこの週末に何をするか。

選択肢の訳

1 サッカーをする。
2 旅行に行く。
3 学校に行く。
4 祖父母の家に泊まる。

解説 What will ～? は「何を～するのか？」と未来のことをたずねる表現。ここではWhat will David do?「デイビッドは何をするか？」と予定をたずねている。答えは最後の文にある。

ANSWER 4

No.6 73

英 文

Ayumi is a famous singer. Last summer, she had a concert in Hong Kong and Singapore. This summer, she's going to sing in Korea. She's really looking forward to it.

Question：Where will Ayumi go this summer?

英文訳

アユミは有名な歌手です。去年の夏には、香港とシンガポールでコンサートを開きました。今年の夏は、韓国で歌います。彼女はとても楽しみにしています。

質問：アユミは今年の夏、どこに行くか。

選択肢の訳

1 香港に。
2 シンガポールに。
3 韓国に。
4 日本にいる。

解説 Where will ～?「どこに（で）～するのか？」。Where does ～?「どこで～か？」との違いは、未来のことについてたずねている点である。ここではWhere will Ayumi go?「アユミはどこに行くか？」とたずねている。This summer, she's going to sing in Korea.「今年の夏は韓国で歌う」の文から正解は**3**。look forward to ～「～を楽しみにしている」。

ANSWER 3

No.7 74

英　文

Betty and Sara are coming to Pat's house this afternoon. Pat is going to make hamburgers and her sister is going to make salad. Betty and Sara will bring some snacks. They will have a good time.

Question：Who will make salad?

英文訳

ベティとサラが、今日の午後パットの家にやってきます。パットはハンバーガーを、姉（妹）がサラダを作る予定です。ベティとサラはおやつを持ってきます。楽しい時間を過ごすでしょう。

質問：誰がサラダを作るか。

選択肢の訳

1 パット。
2 パットの姉（妹）。
3 ベティ。
4 サラ。

解説 Who will ～？「誰が～するのか？」をたずねる文。her sister is going to make salad.「彼女の姉（妹）がサラダを作る」の文から正解を導く。hamburger「ハンバーガー」、have a good time「楽しく過ごす」。

No.8 75

英　文

Charles is in the hospital. He fell and broke his leg when he was playing soccer. This afternoon, Lucy went to the hospital to see him. She brought him some comic books.

Question：Why did Lucy go to the hospital?

英文訳

チャールズは入院しています。彼はサッカーをしているときに転んで、脚を骨折してしまったのです。今日の午後、ルーシーが病院へ彼のお見舞いに行きました。彼女はコミック本を何冊か持って行きました。

質問：なぜルーシーは病院に行ったのか。

選択肢の訳

1 チャールズのお見舞いに。
2 コミック本を買いに。
3 脚を骨折したから。
4 具合が悪かったから。

解説 Why did ～は、過去の行動について、なぜそうしたかをたずねる表現。Why ～？の質問に対する答え方には、大きく分けてBecause「なぜなら」タイプとTo「～するために」タイプがある。Becauseの後には主語と動詞が続き、Toの後には動詞の原形が続く。fellはfall「転ぶ」の過去形、break one's leg「脚の骨を折る」、broughtはbring「持ってくる」の過去形。

ANSWER
1

No.9 76

英文

Yesterday, I went to the mall to buy new shoes. I liked some white shoes, but I couldn't buy them because I had only $ 100 and the shoes were $ 120. So I bought a pair of yellow shoes. They were $ 80.

Question：How much were the yellow shoes?

英文訳

昨日、新しい靴を買いにショッピングモールに行きました。白い靴が気に入りましたが、100ドルしか持っておらず、その靴は120ドルだったので買えませんでした。だから、私は黄色い靴を1足買いました。それは80ドルでした。

質問：黄色い靴はいくらだったか。

選択肢の訳

1 20ドル。　**2** 80ドル。
3 100ドル。　**4** 120ドル。

解説 How much ～?は「どれくらい～?」と、量や程度、価格をたずねる文。今回は黄色い靴の価格をたずねているので、正解は**2**。a pair of ～「1対の～、1足の～」。

No.10 77

英文

Good afternoon, ladies and gentlemen. Welcome aboard Flight 123 to Chicago. We're now flying over the Grand Canyon. Our flight time will be about three hours. We hope you'll enjoy your flight. Thank you.

Question：Where is the man talking?

英文訳

皆さま、こんにちは。シカゴ行き123便にようこそご搭乗くださいました。現在グランドキャニオン上空を飛行中です。飛行時間は約3時間の予定です。フライトをお楽しみください。ありがとうございます。

質問：この男性はどこで話しているか。

選択肢の訳

1 バスで。　**2** 飛行機で。
3 駅で。　**4** ホテルで。

解説 文章全体とキーワードから判断する。Flight 123「123便」、flying over the Grand Canyon.「グランドキャニオン上空を飛行中」、flight time「飛行時間」などは、機内での発言を示している。aboard ～「～に乗船、搭乗して」、flight「飛行」。

ANSWER 2

No. 11 78

英 文

Thank you for calling ABC Movie Theater. We will be open from 11:30. "Mary Potter" starts at noon and 3:30. "Sky Kids" starts at 2:30 and 6:30. For more information, please call again after 11:30. Thank you.

Question：What time will the movie theater open?

英文訳

ABC映画館にお電話いただきありがとうございます。営業開始は11時半です。『メアリー・ポッター』は正午と３時半の上映です。『スカイキッズ』は２時半と６時半の上映です。詳しい情報は、11時半以降にもう一度お電話ください。ありがとうございました。

質問：この映画館は何時に開くか。

選択肢の訳

1 ２時半。
2 ３時半。
3 ６時半。
4 11時半。

解説 時刻を表す数値に意識を集中する。open「開く」というキーワードに注目すると、２行目の will be open from 11:30.「11時半から開いている」という文が耳に入るはず。Thank you for calling ～.「～にお電話いただきありがとうございます」、for more information「さらに詳しいことについては」。

ANSWER 4

No. 12 79

英 文

Hi, Danny. This is George. My train arrives at 2:30. So can we meet in the coffee shop near the station at three? You're coming by bus, right? Hope to see you then.

Question：What does George want Danny to do?

英文訳

ハイ、ダニー。ジョージです。ぼくの乗る電車は２時半に到着します。だから、３時に駅の近くの喫茶店で会えるかな？ ダニーはバスで来るんだよね？ それじゃあ、そのときに。

質問：ジョージはダニーに何をしてほしいのか。

選択肢の訳

1 バスに乗ること。
2 駅に来ること。
3 喫茶店で会うこと。
4 駅に連れて行ってくれること。

解説 留守番電話のメッセージの聞き取り。命令・依頼の内容に意識を集中する。This is ～「(電話で) こちらは～です」、arrive「到着する」。Hope to see you = I hope to see you「会えるといいな」。

試験に出る！シチュエーション別・定番表現②

■ 頼まれたり誘われたりしたときの言い方

Can I ask you a question? —Go ahead.	一つ聞いていい？ どうぞ。
Can you lend me your pen? —Here you are.	ペンを貸してくれる？ はい、どうぞ。
Can you help me? —Of course! —Sure. No problem. —I'm afraid I can't. —I'm sorry, I can't.	手伝ってくれる？ もちろん！ ええ、いいとも。 残念ですができません。 悪いけど、だめなんです。
Shall I help you? —That's very kind of you.	手伝いましょうか？ それはどうもご親切に。
Would you like to join us? —With pleasure. —No, thanks.	仲間に入りませんか？ 喜んで。 いいえ、けっこうです。
Let's go to a movie. —I'd be glad to. —I'd love to.	映画に行きましょう。 喜んで。 はい、ぜひ。

■ 挨拶・日常会話

Nice to see you again.	また会えてよかった。
Say hello to your mother.	お母様によろしく。
See you tomorrow.	じゃあ、また明日。
Have a nice weekend.	すてきな週末を。
I'm glad you like it.	気に入ってもらえてうれしいです。
Me, too.	（相手の意見に同意して）私もです。
I hope so.	（相手の意見に同意して）そうだといいね。
I'm sorry I'm late.	遅れてすみません。
Never mind.	気にしないで。
Let me see.	（ちょっと考えて）そうですねえ……。

第6章

二次面接試験

3rd Grade

音声アイコンのある問題は、音声を聞いて答える問題です。
音声はスマートフォンやパソコンでお聞きいただけます。
詳細は6ページをご参照ください。

対策ポイント 二次面接試験

二次面接試験は次のように進められます。
① 面接委員との簡単な英語のやりとり
(その後、問題カードを受け取る)
② カードの英文の音読
③ カードの英文やイラスト、日常生活についての質問に答える
このうち①は直接、採点の対象になりません。そこで、②③の対策を示します。

Point 1
絵や写真を描写する練習をしよう

③の、カードの内容や、日常生活についての質問は全部で5問あります。

1問目 → カードの英文についての質問
2、3問目 → カードのイラストについての質問
4、5問目 → あなた自身についての質問

イラストについての質問に自信を持って答えられるようにするには「絵や写真を英語で描写する」練習をしておくことでしょう。次の**ア～カ**は「イラストについての質問」でよく問われるポイントです。

ア．誰が、どこにいるか
イ．何が、どこにあるか
ウ．誰が、何をしているか
エ．誰が、何を持っているか
オ．何が、いくつあるか。誰が、何人いるか
カ．誰が、何をしようとしているか

例題

次ページのイラストについて、以下の質問に答えてみましょう。

1 What is the woman doing?「女性は何をしているのか？」
2 What does she have in her hand?「彼女は手に何を持っているのか？」
3 Where is the CD player?「CDプレイヤーはどこにあるのか？」

【解答例】

She is teaching (English). She has a textbook. It is on the table.など。

Point 2

「したいこと」「よくすること」が言えるように

カードについての質問に続いて、4問目と5問目は、「あなた自身についての質問」です。よく出される質問は次の通りです。

・したいこと　(例) What do you want to do this summer (winter) ?
・よくすること　(例) What do you usually do in your free time?
・好きなこと　(例) What do you like to do with your friends?
・行きたい所　(例) Where would you like to go on your next vacation?

【解答例】

・したいこと　→ I want to go swimming. など
・よくすること　→ I usually watch TV. I often go shopping. など
・好きなこと　→ I like to go to movies. など
・行きたい所　→ I would like to go to Tokyo. など

Point 3

Answer ＋ 1の習慣を

5問目は二つの質問に続けて答える「ダブル質問」になっています。二つ目の応答はほとんどが「理由を言う」か、「もっと詳しく言う」ものです。「もっと詳しく」では、いつ、どこで、誰と などの情報をつけ加えます。

ふだんから英語の質問には、一言つけ加えて答える習慣をつけておきましょう。

Point 4

音読では、読めない単語は勘で読もう

音読では1語や2語、単語の読み方が違っていても、それだけで不合格になることはありません。それよりも読みのリズムをくずさないことが大切です。読めない単語があったら勘で読んでしまうのが一番です。

例題 二次面接試験

80~81

実際は流れが変わる場合があります。

Tofu

Many Japanese people like eating tofu. Tofu is made from soy beans, and it is cooked in many different ways. Some people put it in miso soup, and eat it every day. These days, tofu is getting popular in other countries, too, because it is good for the health.

Questions

No.1 Please look at the passage.
Why is tofu getting popular in other countries?

No.2 Please look at the picture. How many apples are there on the table?

No.3 Please look at the father. What is he going to do?

Now, Mr./Ms._____, please turn the card over.

No.4 Where would you like to go during the winter vacation?

No.5 Do you like to go swimming?
Yes. → Please tell me more.
No. → What do you like to do with your friends?

訳 豆腐

多くの日本人が豆腐を食べるのが好きです。豆腐は大豆からできていて、いろいろな方法で調理されます。味噌汁に入れて毎日食べる人もいます。豆腐は健康によいので、近頃は外国でも人気になってきています。

No.1 訳 文章を見てください。豆腐はなぜ外国で人気になってきているのですか。

解説 文章についての質問。Whyで始まる文なので、理由をたずねている。答えるときは、Becauseで始まる文を言えばよい。ここでは豆腐が外国で人気になってきている理由を答える。「健康によいから」という答えになる。

【解答例】Because it is good for the health.

No.2 訳 絵を見てください。テーブルの上にリンゴはいくつありますか。

解説 How manyは、「いくつ」と数をたずねる表現。ここではテーブルの上のリンゴの数を聞いている。there are ～は「～があります」という表現。疑問文ではare there ～?となる。テーブルにリンゴは四つあるのでThere are four (apples) . となる。

【解答例】There are four (apples) (on the table).

No.3 訳 お父さんを見てください。何をしようとしていますか。

解説 What is ～ going to do は、何をしようとしているかをたずねる疑問文。ここでは父親についてたずねている。手にご飯茶わんを持って食べようとしているので、He is going to eat rice. という答えになる。

【解答例】He is going to eat rice.

訳 さて____さん、カードを裏返してください。

No.4 訳 冬休みにはどこに行きたいですか。

解説 Where would you like to go? は「どこに行きたいですか?」とたずねる文。would like to ～は「～したい」という意味で、面接試験でよく用いられる。want to ～よりも控えめな言い方。toの後には、動詞の原形（ここではgo）が入る。

【解答例】I would like to go to Hokkaido.

No.5 訳 泳ぎに行くことは好きですか。

はい。　→ もっと教えてください。

いいえ。　→ 友だちと一緒に何をすることが好きですか。

解説 like to ～は「～することが好き」という意味。また、go ～ ingは、「～しに行く」という表現。go swimmingなら「泳ぎに行く」ということ。Please tell me more. は、「もっと教えてください。」という意味なので、「なぜ好きなのか」「どこに泳ぎに行くか」「誰と一緒に行くか」など、関連したことを話せばよい。

【解答例】Yes, I do.　→ I like swimming in the sea.

No, I don't.　→ I like to go shopping.

模擬試験

・筆記〈65分〉
・リスニング〈約27分〉

筆記

1 次の (1) から (15) までの (　　) に入れるのに最も適切なものを 1、2、3、4の中から一つ選びなさい。

(1) Donna's dream is to be a (　　). She wants to work at a French restaurant.
1 farmer　**2** chef　**3** judge　**4** journalist

(2) **A**：Your wedding dress is beautiful, Clara.
B：Thank you. My mother (　　) it.
1 designed　**2** built　**3** grew　**4** joined

(3) **A**：What happened to your leg?
B：I had an (　　) when I was skiing.
1 event　**2** exam　**3** advice　**4** accident

(4) **A**：Are you doing (　　) special next Sunday?
B：Not really. I think I'll just go shopping.
1 someday　**2** someone　**3** anything　**4** everywhere

(5) **A**：Look at your shoes. They are so (　　).
B：Right. I played soccer in the rain.
1 loud　**2** dirty　**3** dark　**4** boring

(6) Tomorrow is Sarah's birthday. She (　　) three friends to her birthday party.
1 performed　**2** explained　**3** reached　**4** invited

(7) **A**：Have you ever visited Japan?
B：Yes, I have been there four times, and I have many good (　　).
1 collections　**2** plans　**3** memories　**4** meanings

(8) **A**：How about going to the dog cafe tomorrow?
B：Actually, I'm (　　) of dogs. Let's go to the cat cafe instead.
1 because　**2** out　**3** full　**4** afraid

(9) Nancy went shopping yesterday afternoon. She bought a (　　) of running shoes for her brother.
1 little　**2** pair　**3** cup　**4** piece

(10) **A**：This shrine looks very old.
B：Yes. (　　) fact, it was built over 200 years ago.
1 In　**2** As　**3** For　**4** By

(11) **A**：Ms. Jones, I can't speak English well.
B：Don't worry, Mari. It's OK to (　　) mistakes when you speak English.
1 work　**2** send　**3** make　**4** hold

(12) **A**：It will stop raining tomorrow. Why don't we go hiking?
B：Good idea. I'm (　　) of playing video games all day.
1 tired　**2** most　**3** late　**4** sorry

(13) **A**：Do you know (　　) Ellen left school early today?
B：Yes. She had a fever.
1 what　**2** why　**3** where　**4** when

(14) My bike was (　　) yesterday. I need to buy a new one.
1 steal　**2** stole　**3** stolen　**4** stealing

(15) **A**：What do you think of this movie?
B：Well, actually, I think it's the (　　) movie I have ever seen. It's really boring.
1 bad　**2** badly　**3** worse　**4** worst

2 次の(16)から(20)までの(　　)に入れるのに最も適切なものを1、2、3、4の中から一つ選びなさい。

(16) **Woman**：Have you ever visited Tokyo?
Man：Actually, (　　) I went to college in Tokyo.
1 I don't know where to go.　**2** I used to live there.
3 I'm not from here.　**4** I'll be on time.

(17) **Wife**：Can you go shopping with me tomorrow?
Husband：Sure. What do you want to buy?
Wife：(　　)
1 I went shopping yesterday.　**2** I want to go with you.
3 We need a new oven.　**4** I don't think so.

(18) **Woman**：Let's go to the flower show tomorrow.
Man：(　　) I need to stay home and take care of my children.
1 Sorry, I can't.　**2** I'm free all day.
3 I grow some flowers.　**4** I will buy flowers.

(19) **Customer**：Excuse me. I like this coat. (　　)
Salesclerk：Sure. The fitting room is over there.
1 How much is it?　**2** Do you like it, too?
3 Where are you from?　**4** Can I try it on?

(20) **Daughter**：We have our final volleyball game tomorrow. I'm really nervous.
Father：(　　) You'll do well. You practiced hard.
1 You'll be late.　**2** Maybe next time.
3 Don't worry.　**4** Be careful.

次の掲示の内容に関して、(21) と (22) の質問に対する答えとして最も適切なもの、または文を完成させるのに最も適切なものを **1**、**2**、**3**、**4** の中から一つ選びなさい。

Movies Under the Stars

Movies Under the Stars is a perfect chance to enjoy a special summer night. Come early and get a good seat!

Date : Sunday, July 7
Time : 7:00 p.m. to 10:00 p.m.
Place : Green Hill Park (123 Cherry Street)

This event is FREE and open to the public. There will be comedies, horror movies, Japanese anime and more.
There will be food trucks. Each dish will cost between three and five dollars.
Before the movies, we will have music performances and magic shows on the stage. So plan to come early and enjoy the park before sunset.
If we have rain or strong wind, the event will be canceled.
For more information, visit our website : www.musparks.com

(21) What will happen if the weather is not good on July 7?

1 The event will start early.
2 The event will be held at 7:00.
3 The event will be held on Sunday.
4 The event will not be held.

(22) People who come early will be able to ________

1 eat free food.
2 enjoy music performances and magic shows.
3 sell food at food trucks.
4 perform magic on the stage.

次のEメールの内容に関して、(23) から (25) までの質問に対する答えとして最も適切なもの、または文を完成させるのに最も適切なものを **1**、**2**、**3**、**4** の中から一つ選びなさい。

From: Hana Akai
To: Rose White
Date: May 10
Subject: Ms. Mori!

Hello, Ms. White,
How is your new school? Are you still teaching with the dolls, Jack and Jill? I miss them, and I miss your English class so much! In our school, everything is fine. We are practicing long rope jumping for our sports day next week.
Today, I'm writing this e-mail to ask you a little favor. Do you remember Ms. Mori, our English teacher? She is having a baby, and she is going to take leave soon. I talked with my classmates and we decided to give her a little gift and cards. If it's OK with you, could you write something for her, too? Ms. Mori's last class before the leave will be on May 31. We are planning to sing a song for her at the end of the class. We will give her the cards after that. We hope she will like it.
Hana

From: Rose White
To: Hana Akai
Date: May 11
Subject: Great Idea

Hi, Hana,
Thanks for your e-mail. I'm glad to know that everything is fine with you. Jack and Jill are still with me in my English class, and they are popular with the students in Minami Junior High School, too.
I think it's a great idea to sing for Ms. Mori. Also, a gift and cards. It's so nice of you! Of course, I will be glad to write cards for her. I will send you digital cards with my next e-mail. Just give me a little time.
Rose

From: Hana Akai
To: Rose White
Date: May 12
Subject: Thank you!

Dear Ms. White,
Thank you for your reply. I'm sure Ms. Mori will love your cards. Yesterday, we bought a colorful ball for her baby to play with. We are going to give it to her with the cards.
By the way, when I went shopping in the mall to buy the gift, I stopped in at a bookstore, and found a comic book written in English. The story seemed interesting, and the English was not so difficult. I bought it, and started reading it. I'm excited that I can read a book in English.
Anyway, thank you again, and I'm looking forward to your next e-mail.
Hana

(23) What did Hana and her classmates buy for Ms. Mori?

1 A colorful ball.
2 A jump rope.
3 A comic book written in English.
4 A songbook.

(24) What will Hana and her classmates do on May 31?

1 Practice for their sports day.
2 Sing for their English teacher.
3 Buy a gift.
4 Write cards.

(25) What did Hana ask Ms. White to do?

1 Teach with Jack and Jill.
2 Sing a song for Ms. Mori.
3 Read a comic book.
4 Write something for Ms. Mori.

3 C 次の英文の内容に関して、(26) から (30) までの質問に対する答えとして最も適切なもの、または文を完成させるのに最も適切なものを **1**、**2**、**3**、**4** の中から一つ選びなさい。

Bessie Coleman

Bessie Coleman was the first African-American woman to hold a pilot's license. She was born in 1892. She had twelve brothers and sisters. They lived on a small farm in Texas. As she grew up, she worked hard and entered university, but soon, she had to leave the university because she could not pay tuition*.

When she was 23, she moved to Chicago to live with her brothers. She started working as a manicurist*, while her brothers went to serve the military during World War I. After the war, she often heard exciting stories of pilots who returned home to the United States, and decided that she wanted to fly. She tried to go to flight school to learn how to fly, but it was not easy. At that time, American flight schools did not admit* either African-Americans or women.

One day, one of her brothers told her that it was easier for women in France to be pilots. She decided to learn to fly there. She learned French, and saved enough money to go there. Finally, she went to France and graduated from a well-respected school. She received her international pilot's licence in June, 1921 and returned to the United States.

She made her first public flight in September, 1922. After that, she performed at many air shows. She was famous for giving exciting performances, and was called "Queen Bess" and "Brave Bessie."

On April 30, 1926, she was preparing for her next show. When she was flying, the plane suddenly went out of control, and she was thrown off the plane. She could not survive the fall. She was only 34 years old then. Though her life was cut short in a terrible accident, many people still remember this African-American woman who did not give up on her dreams.

*tuition：学費（がくひ）
*manicurist：ネイリスト
*admit：入（い）れる、入学（にゅうがく）を許（ゆる）す

(26) When Bessie Coleman was a child, she ________

1 lived on a small farm.
2 went to France.
3 wanted to be a manicurist.
4 learned how to fly.

(27) Why did Bessie leave the university?

1 To go to France.
2 To become a manicurist.
3 She lost interest in studying.
4 She did not have enough money.

(28) How did Bessie learn how to fly?

1 She learned it from her brother.
2 She learned it from soldiers.
3 She studied it at an American flight school.
4 She went to flight school in France.

(29) What did Bessie do in 1922?

1 She moved to France.
2 She flew a plane in public.
3 She got a pilot's license.
4 She decided to be a pilot.

(30) What is this story about?

1 A famous flight school in America.
2 A popular air show in America.
3 An African-American woman who became a pilot.
4 The first African-American manicurist.

4 ライティング（Eメール）

●あなたは、外国人の友達（Sophia）から以下のEメールを受け取りました。Eメールを読み、それに対する返信メールを、□に英文で書きなさい。

●あなたが書く返信メールの中で、友達（Sophia）からの2つの質問（下線部）に対応する内容を、あなた自身で自由に考えて答えなさい。

●あなたが書く返信メールの中で□に書く英文の語数の目安は15～25語です。

●解答が友達（Sophia）のEメールに対応していないと判断された場合は、0点と採点されることがあります。（Sophia）のEメールの内容をよく読んでから答えてください。

●□の下のBest wishes, の後にあなたの名前を書く必要はありません。

Hi,

Thank you for your e-mail.
You wrote that you bought a new book. Can you tell me more about it?
What is it about? Who is your favorite writer?

I like reading books, too.

Sophia

Hi, Sophia!

Thank you for your reply.

解答欄に記入しなさい。

Best wishes,

5 ライティング（英作文）

- あなたは、外国人の友達から以下のQUESTIONをされました。
- QUESTIONについて、あなたの考えとその理由を２つ英文で書きなさい。
- 語数の目安は25 ～ 35語です。
- 解答がQUESTIONに対応していないと判断された場合は、0点と採点されることがあります。

  QUESTIONをよく読んでから答えてください。

QUESTION

Which do you like better, traveling by train or traveling by car?

リスニング

このリスニングテストには、第１部から３部まであります。

第１部…イラストを参考にしながら対話と応答を聞き、最も適切な応答を**1**、**2**、**3**の中から一つ選びなさい。

第２部…対話と質問を聞き、その答えとして最も適切なものを**1**、**2**、**3**、**4**の中から一つ選びなさい。

第３部…英文を聞き、その質問に対して最も適切なものを**1**、**2**、**3**、**4**の中から一つ選びなさい。

各問題の解答時間は10秒です。

第１部  82～91

No.1

No.2

No.3

No.4

No.5

No.6

No.7

No.8

No.9

No.10

第2部 92〜101

No.11
1 She met the Super Boys.
2 She sang a song.
3 She spoke about the Super Boys.
4 She listened to a radio show.

No.12
1 Study English.
2 Study science.
3 Take the English test.
4 Take the science test.

No.13
1 Five.
2 Twenty-five.
3 Thirty.
4 Thirty-five.

No.14
1 The woman.
2 The man.
3 The woman's sister.
4 The man's sister.

No.15
1 At the baseball park.
2 At one o'clock.
3 After the baseball game.
4 Before the baseball game.

No.16
1 Work at the aquarium.
2 Go to the aquarium.
3 Do his homework.
4 Help Ann with her homework.

No.17
1 The weather was not good.
2 There was an accident.
3 She was sick.
4 She was too busy.

No.18
1 At Emily's house.
2 At an airport.
3 At a post office.
4 At a store.

No.19
1 She is sick.
2 She is busy.
3 She forgot her lunch.
4 She is not good at cooking.

No.20
1 Pam's pet.
2 Pam's mother.
3 The boy's favorite animal.
4 The boy's sister.

第3部 102～111

No.21
1 He was late for the show.
2 He did not have enough money.
3 The movie theater was closed.
4 The movie tickets were sold out.

No.22
1 Take part in a contest.
2 Do her English homework.
3 Practice her speech.
4 Teach English.

No.23
1 He saw a baseball game.
2 He visited museums.
3 He played baseball.
4 He went there again.

No.24
1 For one hour.
2 For two hours.
3 For three hours.
4 For four hours.

No.25
1 This morning.
2 This evening.
3 When she got up.
4 When she threw a ball.

No.26
1 At a school.
2 At a station.
3 In a sports shop.
4 In a library.

No.27
1 Her family.
2 Sally.
3 Julie.
4 Sally's classmate.

No.28
1 At 6:30.
2 At 7:30.
3 At 7:40.
4 At 8:00.

No.29
1 Karen's.
2 Annie's.
3 Mandy's.
4 Mandy's brother's.

No.30
1 His sister is good at sports.
2 His sister is beautiful.
3 His sister likes flowers.
4 His sister painted a beautiful picture.

模擬試験 解答一覧

筆記

1

(1)	2	(6)	4	(11)	3
(2)	1	(7)	3	(12)	1
(3)	4	(8)	4	(13)	2
(4)	3	(9)	2	(14)	3
(5)	2	(10)	1	(15)	4

2

(16)	2
(17)	3
(18)	1
(19)	4
(20)	3

3

A	(21)	4	C	(26)	1
	(22)	2		(27)	4
B	(23)	1		(28)	4
	(24)	2		(29)	2
	(25)	4		(30)	3

4

（解答例）The book is about wild animals. It has a lot of beautiful pictures. My favorite writer is Ellery King. His books are really interesting.
(24語)

5

（解答例）I like traveling by train better than traveling by car. I have two reasons. First, we don't have to drive, so we don't get tired. Also, we don't have to worry about traffic jams.
(34語)